Il y retrace l'histoirc dcs *aréois*,
dieux et déesses de l'olympe polynésien,
situé dans l'île de Bora Bora.

Son amante qui avai

de fruits et une couv

plus riches et des nattes

formée des étoffes les
les plus fines.

ML

Françoise Cachin est Directeur honoraire des Musées de France. Elle a organisé et participé à la rédaction des catalogues de nombreuses expositions, parmi lesquelles «Paul Klee» et «Le Futurisme italien» au Musée national d'Art moderne (1969-1973), «Manet», Paris, New York (1983), «Gauguin», Washington, Chicago, Paris (1989), «1983, l'Europe des peintres», Paris (1993) et «Cézanne», Paris, Londres, Philadelphie (1995). Elle est également auteur, entre autres, de *Paul Signac*, Paris, Bibliothèque des Arts, 1972 ; *Gauguin*, Livre de Poche Art, 1968, réédité, Flammarion, 1988, Hachette Pluriel, 1989 ; *Seurat, le rêve de l'art-science*, Découvertes Gallimard, 1991 ; *Manet, j'ai fait ce que j'ai vu*, Découvertes Gallimard, 1994 ; *Signac, catalogue raisonné de l'œuvre peint*, Gallimard, 2000.

Découvertes Gallimard
Collection conçue par
Pierre Marchand.
Direction Élisabeth de Farcy.
Coordination éditoriale
Anne Lemaire.
Graphisme Alain Gouessant.
Coordination iconographique
Isabelle de Latour.
Suivi de production
Fabienne Brifault.
Suivi de partenariat
Madeleine Gonçalves.
Promotion & Presse
Flora Joly et Pierre Gestède.

Gauguin
«Ce malgré moi de sauvage»
Édition Élisabeth de Farcy.
Iconographie
Any-Claude Médioni.
Maquette
Raymond Stoffel.
Lecture-correction Catherine Leplat et Catherine Lévine.

1er dépôt légal : janvier 1989
Dépôt légal : juillet 2003
Numéro d'édition : 124503
ISBN : 2-07-053070-1
Imprimé en Italie par Editoriale Lloyd

GAUGUIN
«CE MALGRÉ MOI DE SAUVAGE»

Françoise Cachin

DÉCOUVERTES GALLIMARD
RÉUNION DES MUSÉES NATIONAUX
ARTS

Choisir d'être un artiste ? Ce fut souvent, pendant des siècles, une simple imitation : on était peintre de père en fils, par tradition. Modèle et assistant, on respirait, enfant, l'odeur du liant puis de la térébenthine ; l'apprentissage était domestique, et le premier atelier, familial. Depuis le romantisme, chez certains, c'est l'inverse : l'envie d'être artiste correspond à une révolte, à une fuite, à un moyen très particulier de devenir soi-même. Ce fut le cas de Cézanne ou de Manet, c'est celui de Gauguin.

CHAPITRE PREMIER

DEVENIR UN ARTISTE

Aline Gauguin, la mère de l'artiste ; portrait exécuté en 1890, vingt-trois ans après sa mort, d'après une photo d'elle jeune fille. A gauche, par Pissarro, Gauguin travaillant à une sculpture sur bois, vers 1880.

Il est trop simple de trouver des clés uniques – dans l'histoire, la sociologie ou la psychanalyse – pour ce processus mystérieux; les mêmes parents et les mêmes événements ne produisent pas les mêmes personnalités. Mais il faut reconnaître que le passé familial et l'enfance de Paul Gauguin n'étaient pas banals.

Flora Tristan (1803-1844), héroïne du socialisme romantique, avait publié en 1838 un livre autobiographique dont le titre ne pouvait que séduire son petit-fils, lui-même voyageur et rebelle : *les Pérégrinations d'une paria.*

«Ma grand-mère était une drôle de bonne femme. Elle se nommait Flora Tristan...»

«...Proudhon disait qu'elle avait du génie. N'en sachant rien, je me fie à Proudhon. Elle inventa un tas d'histoires socialistes, entre autres l'Union ouvrière. [...] Il est probable qu'elle ne sut pas faire la cuisine. Un bas-bleu socialiste, anarchiste. On lui attribue, d'accord avec le père Enfantin, le Compagnonnage, et la fondation d'une certaine religion, la religion de Mapa, dont Enfantin aurait été le dieu Ma et elle, la déesse Pa.

»Entre la vérité et la fable, je ne saurais rien démêler et je vous donne tout cela pour ce que cela vaut. Elle mourut en 1844 : beaucoup de délégations suivirent son cercueil.

»Ce que je peux assurer cependant, c'est que Flora Tristan était une fort jolie et noble dame. Elle était intime amie avec Mme Desbordes-Valmore. Je sais aussi qu'elle employa toute sa fortune à la cause ouvrière, voyageant sans cesse. Entre-temps, elle alla au Pérou voir son oncle le citoyen don Pio de Tristan de Moscoso (famille d'Aragon).

»Sa fille, qui était ma mère, fut élevée entièrement dans une pension, la pension Bascans, maison essentiellement républicaine.

»C'est là que mon père Clovis Gauguin fit sa connaissance. Mon père était à ce moment-là chroniqueur politique au journal de Thiers et Armand Marast, *le National.*

»Mon père, après les événements de 1848 (je suis né le 7 juin 1848), a-t-il pressenti le coup d'Etat de 1852 ?

Je ne sais ; toujours est-il qu'il lui prit la fantaisie de partir pour Lima avec l'intention d'y fonder un journal. Le jeune ménage possédait quelque fortune.

»Il eut le malheur de tomber sur un capitaine épouvantable, ce qui lui fit un mal atroce, ayant une maladie de cœur très avancée. Aussi, lorsqu'il voulut descendre à terre à Port-Famine dans le détroit de Magellan, il s'affaissa dans la baleinière. Il était mort d'une rupture d'anévrisme.»

Cette relation de la saga familiale, écrite par Gauguin l'année même de sa mort en 1903, est parfaitement exacte, sauf le lien mythique du grand-oncle avec la famille d'Aragon. Il aurait pu encore ajouter que le grand-père maternel, André Chazal, exaspéré de jalousie contre sa femme Flora, tenta de l'assassiner : la violence, on le voit, est le lot des hommes de la famille, la beauté exotique, celui des femmes.

Une enfance exotique

Entre 1849 et l'automne 1854, Gauguin passe donc les premières années de sa vie au Pérou.

«J'ai une remarquable mémoire des yeux et je me

Ci-dessus une poterie péruvienne. Ci-dessous, une vue de Lima au XIXe siècle.

souviens de cette époque, de notre maison et d'un tas d'événements, du monument de la Présidence, de l'église dont le dôme avait été placé après coup, tout sculpté en bois.

»Je vois encore notre petite négresse, celle qui doit, selon la règle, porter le petit tapis à l'église et sur lequel on prie. Je vois aussi notre domestique le Chinois qui savait si bien repasser le linge. C'est lui d'ailleurs qui me retrouva dans une épicerie où j'étais en train de sucer de la canne à sucre, assis entre deux barils de mélasse, tandis que ma mère éplorée me faisait chercher de tous les côtés. J'ai toujours eu la lubie de ces fuites, car à Orléans, à l'âge de neuf ans, j'eus l'idée de fuir dans la forêt de Bondy avec un mouchoir rempli de sable au bout d'un bâton que je portais sur l'épaule. C'était une image qui m'avait séduit, représentant un voyageur, son bâton et son paquet sur l'épaule. Défiez-vous des images.»

En effet, Aline Gauguin revient en France avec son fils de six ans et sa fille de sept – cette sœur dont Gauguin ne parle jamais –, pour recueillir l'héritage du grand-père paternel à Orléans, où la famille s'installe. Paul est un médiocre élève, déjà saisi, on l'a vu, par le désir de fuir. Mais aussi, comme l'Europe dut paraître grise à l'enfant dorloté par ses nounous «colorées» ! Comment ne pas voir en ses futurs grands départs «aux îles» l'effet d'une puissante nostalgie ?

Cette photo d'Aline Gauguin jeune fille fut retrouvée dans les papiers de son fils. Elle servit de base au portrait posthume qu'il fit d'elle, dans lequel il avait accentué son air exotique.

« Ce que ma mère était gracieuse et jolie quand elle mettait son costume de Liméenne, la mantille de soie couvrant le visage et ne laisant voir qu'un seul œil : cet œil si doux et si impératif, si pur et si caressant. »

Paul Gauguin, *Avant et Après*

Gauguin matelot, Gauguin boursier

En 1861, Aline s'installe comme couturière à Paris, où son fils la rejoint et prépare l'Ecole navale. Là encore, médiocres résultats : il ne passera pas le concours et s'engagera à dix-sept ans, comme «pilotin» ou élève officier, en décembre 1865. Jusqu'en 1871, il naviguera presque sans interruption dans le monde entier, en Amérique du Sud, en Méditerranée, dans le Grand Nord. C'est aux Indes qu'il apprend la mort de sa mère, qui lui avait recommandé dans son testament «de se faire sa carrière car il a su si peu se faire aimer de tous nos amis qu'il va se trouver bien abandonné».

Heureusement, il n'en est rien. Le petit jeune homme trapu – 1,60 mètre sur son livret militaire –, et ombrageux, bénéficie à son arrivée à Paris en 1872 de l'appui d'un ami de sa mère qu'il avait connu étant enfant : Gustave Arosa, homme d'affaires, photographe et excellent collectionneur de peinture moderne.

Mette Gad et Paul Gauguin en 1873, l'année de leur mariage.

Celui-ci le recommande chez un agent de change, et voilà notre matelot employé d'opérations en Bourse. Il semble qu'il s'en acquitta brillamment, puisque dès l'année suivante il est en mesure de demander la main d'une jeune Danoise liée à la famille Arosa, Mette Gad, et devient père de famille : Emil naît en 1874, suivi d'Aline en 1877, de Clovis en 1879, de Jean-René en 1881 et de Paul en 1883. On le voit s'installer dans des appartements de plus en plus cossus, mais où l'atelier prend une importance croissante. En effet, comme son parrain Arosa, il «collectionne», surtout des impressionnistes, et peint.

Le *Jérôme-Napoléon*, sur lequel le matelot Gauguin navigua de 1868 à 1870.

Peintre du dimanche : les leçons de Pissarro

Pourquoi et comment ce jeune agent de change, ex-marin, se met-il à faire de la peinture ? Sur ce point capital, on ne sait à vrai dire rien. Dès 1873-1874, on voit les premiers paysages. L'un d'eux sera d'ailleurs admis au Salon de 1876. L'influence la plus directe, qui va durer plus de dix ans, est celle du «patriarche» de l'impressionnisme, Camille Pissarro, qui décèle très vite le talent et la passion du jeune amateur. «Ce fut un de mes maîtres et je ne le renie pas», écrira Gauguin à la fin de sa vie. Ils se sont sans doute rencontrés vers 1874, mais n'entretiennent des relations étroites qu'à partir de 1878. Gauguin est invité à participer aux expositions impressionnistes dès le début de l'année 1879 : voilà le collectionneur pris peu à peu au sérieux en tant qu'artiste. Il passe l'été près de Pissarro à Pontoise, où il peint des vergers et des paysages rustiques, proches de ceux du «maître», comme tous ceux qu'il fera jusqu'en 1885.

Cette scène familière de *Mette cousant*, un de ses meilleurs premiers tableaux, reflète bien la vie paisible de Gauguin à l'époque.

Degas le bougon et Gauguin le sauvage

En revanche, ses scènes d'intérieur et ses personnages montrent qu'il admire beaucoup un autre artiste, qu'il a sans doute connu par Pissarro : Edgar Degas. Sans cesse, Degas va soutenir Gauguin, faisant prendre dès 1881 des tableaux par Durand-Ruel, le marchand des impressionnistes, en achetant lui-même. Il en possédera jusqu'à dix, dont *la Belle Angèle, la Femme au mango*, ou *Hina tefatou*. Entre Gauguin, dont le mauvais caractère et les mauvaises manières devaient écarter la plupart de ses amis, et ce célèbre bougon de Degas («Degas qui bougonne et Edgar qui grogne» disaient de lui ses amis), c'est une amitié et une estime réciproques. Degas demeurera fidèle à Gauguin en continuant à lui acheter des œuvres malgré l'éloignement définitif des années tahitiennes, et Gauguin témoignera d'au-delà des mers, dans des tableaux inspirés du souvenir de ceux de Degas ou dans ses écrits, son admiration pour l'artiste. De Tahiti, il écrira à Daniel de Monfreid : «Il a l'instinct du cœur et de l'intelligence. [...] Degas est, comme talent et comme conduite, un exemple rare de ce que l'artiste doit être [...]. De lui, on n'a jamais entendu, vu une saleté, une indélicatesse, quoi que ce soit de vilain. Art et dignité.»

Un des premiers tableaux (*Suzanne cousant*) remarqués par la critique – J.-K. Huysmans y voit un modèle de naturalisme en peinture – est un nu, dont le réalisme rappelle celui des nus de Degas. C'est aussi à ce dernier que l'on pense devant cette surprenante scène de famille (*Intérieur du peintre à Paris, rue Carcel*) qui montre l'appartement de Gauguin, dans une vue décentrée, avec un gros bouquet en premier plan,

Ces portraits respectifs ont été dessinés en 1883 par le maître Pissarro et l'élève Gauguin. Le trait de Gauguin n'a pas l'énergie et la précision de celui de Pissarro, croquant ici sans complaisance ce jeune homme qui se lance, à son avis un peu inconsidérément, dans la carrière de peintre.

«Je ne crains pas d'affirmer que, parmi les peintres contemporains qui ont travaillé le nu, aucun n'a encore donné une note aussi véhémente dans le réel.»

J.-K. Huysmans, 1881, à propos de *Suzanne cousant*

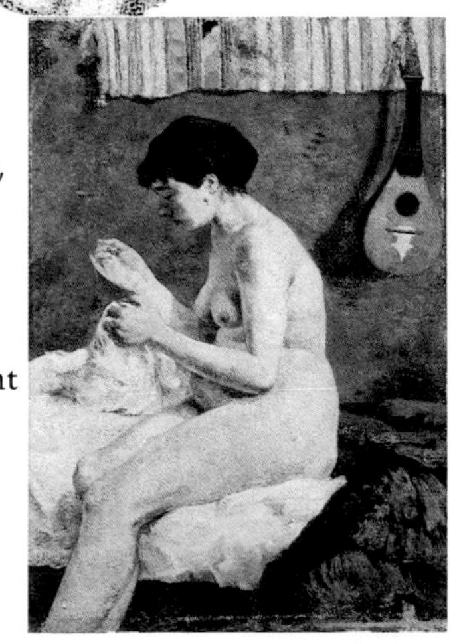

Gauguin et sa femme entr'aperçus, l'un derrière un paravent, l'autre cachée par son piano. Dans une de ses premières sculptures sur bois, *la Chanteuse*, Gauguin s'inspire aussi très évidemment des chanteuses de café-concert de Degas.

Ce premier tableau de grand format montre, dans une composition audacieuse inspirée par Degas, Mette jouant du piano, tandis qu'à son côté un homme l'écoute et la regarde – peut-être le peintre...

«Conquérir une place dans l'Art...»

En 1882, le krach de l'Union générale entraîne l'effondrement de la Bourse et la mise à pied

de nombreux employés. Gauguin perd son emploi et commence à caresser l'idée de vivre de sa peinture. Tout le monde est un peu effaré; Pissarro d'abord, qui se sent responsable de cet enthousiasme : «Il s'éloigne de Paris pour se mettre tout à fait à peindre. Il compte, par un travail acharné, conquérir une place dans l'art, [...] il arrivera !» écrit-il à Eugène Mürer en novembre. Mais à son fils Lucien, en rendant compte d'une longue conversation avec Gauguin, il émet cette remarque fort juste : «Il est plus naïf que je ne pensais.» On imagine ce que pensait la pauvre Mette, de nouveau enceinte. En novembre 1883, Paul, Mette et leurs cinq enfants quittent Paris et s'installent à Rouen où «la vie est moins chère». Les deux années à venir seront terribles, et acculeront Gauguin, qui n'aura

Degas avait exposé en 1879 une série de chanteuses de café-concert, dont cette *Chanteuse au gant*.

Sculpté et peint en 1880, ce médaillon représente la chanteuse Valérie Roumi; il montre l'influence de Degas et les étonnants dons du sculpteur débutant.

guère d'autre choix, à l'aventure et à la solitude.

Ses lettres, à Pissarro ou à son camarade Schuffenecker, montrent qu'il pense réussir aussi vite «en peinture» qu'à la Bourse. «Il prend Rouen d'assaut», écrit Pissarro. Cette confiance en sa bonne étoile et en son génie est l'un des traits constants de la vie de Gauguin et, tout compte fait, le destin lui donna raison. Mais que de doutes, chaque jour, après les décisions irréversibles, que d'angoisses, que de pose aussi pour prouver aux autres qu'on est fort ! Tout Gauguin est déjà dans

Copenhague, 1885 ; dans ce premier autoportrait, à gauche, Gauguin se représente dans une soupente. Page de droite, en haut, une photographie de Paul et de Mette à la même époque.

Cette image un peu conventionnelle de *Mette Gauguin en robe du soir* (ci-contre) est en opposition totale avec la vie difficile et aventureuse dans laquelle Gauguin va bientôt l'entraîner.

Derrière la nature morte (page de droite), se déroule une scène assez mystérieuse, sans doute une veillée funèbre.

ce premier départ, mi-décidé, mi-obligé, comme le sera le second pour Copenhague, où il rejoint Mette qui a quitté Rouen au bout de six mois avec ses enfants. Le dernier arrachement sera définitif mais il ne le sait pas : il quittera Copenhague pour Paris, à demi chassé par la famille danoise.

Au passage, pour vivre, on vend peu à peu la belle collection d'impressionnistes que le jeune banquier s'était constituée, sauf les Cézanne, qu'il suppliera Mette de ne vendre qu'à la toute dernière extrémité.

«Ce qui me retient, c'est la peinture»

De Rouen à Paris, en passant par Copenhague, où Gauguin est représentant d'une maison de bâches, c'est-à-dire de 1883 à juin 1885, s'écoule une période de tourments et de certitudes mêlés que le premier autoportrait

– le premier d'une longue série – transmet tout à fait. Sa correspondance commence à être passionnante, et devance en audace la production d'alors, pourtant souvent déjà remarquable, tant dans ses paysages que dans ses portraits d'enfant d'une tendresse sans complaisance mais profonde, comme cet *Enfant endormi* devant un pichet en bois démesuré sur fond de papier peint «onirique».

Le séjour à Copenhague est un désastre financier, familial, artistique. «Ah! mon cher Pissarro, dans quel gâchis je me suis fourré en ce moment», lui écrit-il, et à Schuffenecker : «Il me semble par moment que je suis fou et cependant, plus je réfléchis le soir dans mon lit, plus je crois avoir raison.» Mais, en mai 1885, à Pissarro : «Je suis en ce moment tout à fait à bout de courage et de ressources. [...] Chaque jour, je me demande s'il ne faut pas aller au grenier me mettre une corde au cou. Ce qui me retient, c'est la peinture.»

Deux visions familiales contrastées : Gauguin attendri devant son enfant endormi, Gauguin grinçant dans cette caricature où il se représente avec sa famille «dans la mélasse».

Phrase étonnante ! certainement sincère, éclairant ce puissant moteur qui animera Gauguin jusqu'au bout, ce sentiment d'un devoir sacré, qui sacralise le peintre en même temps – et le sauve.

Dans cette nature morte, Gauguin révèle son génie de la couleur et déjà, à travers les objets, ses goûts exotiques.

Paris, 1886 : un rude hiver

La mandoline est celle dont jouait l'artiste, et qu'il emportera à Tahiti ; au mur, on voit l'un des tableaux de sa collection – de Pissarro ou de Guillaumin – avec le cadre blanc alors cher aux impressionnistes.

En juin, le voilà de retour à Paris, avec son fils aîné Clovis, qu'il avait un moment confié à sa sœur, ne pouvant subvenir à ses besoins. Quant à lui, il est hébergé chez le fidèle Schuffenecker, qui a lui aussi largué les amarres avec la Bourse, non pas pour l'océan agité, mais pour enseigner le dessin dans une école. L'hiver est particulièrement noir, Gauguin aux abois en est réduit à coller des affiches pour gagner un peu d'argent.

Il ne peint guère, mais renoue des contacts avec le groupe et montre dix-neuf tableaux dans la fameuse huitième et dernière exposition impressionniste ; celle où, grâce à Pissarro, les jeunes néo-impressionnistes entrent en force, groupés autour de *la Grande Jatte* de Seurat. Le catalogue de cette exposition, où ni Renoir ni Monet n'exposent, est très significatif de ce moment de la vie de Gauguin. D'abord, il est le seul avec Mary Cassatt – mais c'est l'usage pour une dame – à ne pas y avoir mentionné d'adresse d'atelier. Ensuite – on peut le reconstituer d'après les titres –, il y montre des tableaux de l'année précédente, peints surtout dans les environs de Rouen ou de Copenhague. Un des meilleurs de cette année difficile est sans doute le *Mandoline et fleurs*, où l'on sent poindre le futur peintre des luxuriances tropicales.

Enfin, vers la mi-juillet, il peut écrire à Mette : «J'ai fini par trouver l'argent de mon voyage en Bretagne.» En effet, il est dans le petit bourg du Finistère qu'il va rendre célèbre : Pont-Aven.

Arraché par saccades successives à une vie familiale confortable, poussé par les circonstances, Gauguin va devenir un artiste, comme si le destin l'obligeait au dur choix de la solitude. Il est condamné à réussir. Ne serait-ce que pour lui-même : il lui faut reconquérir sa dignité bafouée, puis l'imposer, et pour cela surtout travailler en paix. Gauguin a peu peint depuis des mois. Il rêve depuis l'été 1885 de se réfugier «dans un trou de Bretagne pour faire des tableaux et vivre économiquement».

CHAPITRE II

PREMIERS BRETONS, PREMIERS TROPIQUES

Cet autoportrait en costume breton, peint à Pont-Aven en 1886 et dédicacé à Charles Laval, fut retouché quelques années plus tard et offert à un autre peintre, Eugène Carrière.

1886 : la pension Gloanec à Pont-Aven

En s'installant en juillet 1886 à la pension Gloanec à Pont-Aven, petit bourg proche de Quimperlé dans le Finistère, éloigné de la mer de plusieurs kilomètres, Gauguin n'était pas véritablement original : c'était depuis une vingtaine d'années un village connu pour accueillir des artistes français ou étrangers, surtout américains ; mais aucun d'eux n'était particulièrement révolutionnaire. Un guide anglais de la région à l'intention des artistes signale que «Pont-Aven possède un avantage sur les autres localités bretonnes : ses habitants, dans leur costume [...] inchangé, ont appris que poser comme modèle est une activité agréable et lucrative.»

Gauguin de profil, à l'époque de Pont-Aven, sur une photographie dédicacée à Schuffenecker.

Gauguin, pour la première fois de sa vie, se consacre uniquement à la peinture, sans aucun souci professionnel ni domestique, si ce n'est l'inquiétude que lui cause le sort de sa famille.

Son travail est le meilleur baume et aussi la grande impression qu'il fait sur la colonie d'artistes. «Maintenant que je suis endurci par l'adversité, écrit-il à Mette, je ne pense qu'au travail, à mon art, c'est encore la seule chose qui ne me trahisse pas : Dieu merci, je progresse tous les jours. [...] J'ai toujours au présent des satisfactions morales, attendu que je fais ici, à Pont-Aven, la pluie et le beau temps. Tous les artistes me craignent et m'aiment : pas un ne résiste à mes convictions.»

Les témoignages des contemporains de ce premier séjour corroborent son propos. Cela pourrait paraître bien présomptueux de la part d'un peintre encore si peu confirmé ; pourtant, c'est vrai.

La forte personnalité et les ambitions artistiques de Gauguin précèdent sa propre révolution picturale

et entraînent déjà les autres : «Grand (sic), les cheveux bruns et le teint basané, les paupières lourdes, de beaux traits s'associaient à une nature puissante», se souviendra plus tard un artiste anglais, Hartrick, ajoutant : «Il était d'une certaine manière réservé et sûr de lui, taciturne et presque austère, [...] la plupart des gens en avaient plutôt peur.»

Puygaudeau, un autre artiste séjournant cet été-là dans l'auberge Gloanec, confirme : «Ses théories

Au début des années 1880, l'auberge Gloanec était déjà fréquentée par des artistes peintres. Ils sont nombreux ici à poser devant la porte, autour de l'hôtesse en coiffe. Pourtant, seul Gauguin la rendra célèbre.

La Danse des quatre Bretonnes, peint en 1886 (ci-dessus).
A droite, en haut, *Nature morte au profil de Laval*, de la même année. C'est avec ce jeune peintre que Gauguin va bientôt partir pour la Martinique.

très personnelles et sa peinture, qui l'était plus encore, révolutionnaient toute la colonie d'artistes. [...] Les jeunes, qui le critiquaient vivement, le ridiculisaient même volontiers, mais malgré eux, ils subirent l'influence de cet homme.»

Premiers tableaux bretons

Comparé aux autres artistes, Gauguin était un représentant de l'avant-garde parisienne : un «impressionniste», mot encore chargé de soufre. Sa peinture est alors douce de tons, et d'une touche zébrée. Une toile comme *les Lavandières à Pont-Aven* développe un impressionnisme sage et charmant, mais il est bientôt plus inventif dans *la Danse des quatre Bretonnes.* On sent bien là le génie naissant de Gauguin, une façon de traiter un sujet pittoresque radicalement opposée aux scènes analogues peintes non loin de là par un peintre académique comme Dagnan-Bouveret.

La mise en page est neuve, les coiffes blanches

deviennent un pur motif décoratif et non plus le détail évocateur d'une scène de genre ; un certain mystère apparaît dans les gestes peu compréhensibles et les regards détournés ; dans les physionomies naïves, pointe le goût de Gauguin pour les visages qui expriment une gentillesse fruste. Plus étonnant, et dans la mise en page, et dans son contenu, la *Nature morte au profil de Laval*. Tout dans ce tableau est tourné vers l'avenir de Gauguin : le modèle, jeune peintre rencontré à Pont-Aven, est ce Charles Laval avec qui il va bientôt faire son premier voyage exotique de peintre ; ses fruits ont déjà plus l'air de mangues que de pommes, et l'étrange pot, que semble observer son ami derrière son pince-nez, est une des premières pièces de la stupéfiante production de céramiste de Gauguin, qui commence précisément en ces années 1886-1887.

Ce vase en terre cuite orné de motifs bretons, fait l'hiver 1886-1887, rappelle celui que Gauguin montre sur son tableau et qui a disparu.

Gauguin céramiste

Un peu avant de partir pour Pont-Aven, Gauguin avait fait la connaissance d'un excellent céramiste, ami de Bracquemond, Ernest Chaplet, qui se vouait à remettre en valeur le travail du grès, sous l'influence de la céramique japonaise. Gauguin en a peut-être modelé avant son départ, mais c'est surtout à son retour à Paris, pendant l'automne 1886 et l'hiver suivant, qu'il s'adonne avec passion à cette nouvelle technique, où il va trouver le moyen d'exprimer, mieux alors qu'en peinture, ce qu'il cherche confusément : le primitif et l'essentiel, par la création de formes neuves et traditionnelles à la fois. A la fin de l'année, il est en mesure d'écrire à

Bracquemond : «Si vous êtes curieux de voir sortir du four tous les petits produits de mes hautes folies, vous allez jeter de grands cris devant ces monstruosités mais je suis convaincu que cela vous intéressera.» La céramique lui permet de faire des objets à la fois utilitaires et artistiques – «le beau trouve toujours sa place», écrira-t-il; pionnier du «design», il exhorte les fabricants : «Industriels, pas de mauvaises raisons, et mettez-vous à l'œuvre et, surtout, prenez des *artistes* et non des ouvriers.»

Et de fait, ces objets directement modelés de sa main correspondent toujours chez lui à quelque chose d'intime, de direct, à une émotion. Il a bien connu la céramique péruvienne, dont sa mère avait rapporté de Lima une belle collection, et la poterie est pour lui un double retour aux origines : celles de l'art et celles de sa propre enfance. Toujours en quête d'argent, il espérait aussi que ses pots pourraient se vendre mieux que sa peinture. En tout cas, ils furent vite exposés et appréciés, en particulier à travers les articles du critique, «découvreur» de Seurat et de Rimbaud à la même époque, Félix Fénéon. Mais peu parleront de cette technique de la *céramique* aussi bien que Gauguin lui-même : «La céramique n'est pas une futilité. Aux époques les plus reculées, chez les Indiens de l'Amérique, on trouve cet art constamment en faveur. Dieu fit l'homme

Un exemple de ces poteries péruviennes en forme de figure humaine dont le souvenir avait tant marqué Gauguin. Ci-dessous, l'une des faces d'une jardinière en terre cuite colorée (hiver 1886-1887), représentant une petite vachère en costume de Pont-Aven.

avec un peu de boue. Avec un peu de boue, on peut faire du métal, des pierres précieuses, avec un peu de boue et aussi un peu de génie ! » ; et il ajoute cette remarque magnifique : « La matière sortie du feu revêt [...] le caractère de la fournaise et devient donc plus grave, plus sérieuse, à mesure qu'elle passe par l'enfer. »

Fuir Paris pour vivre en sauvage

« Ce que je veux avant tout, c'est fuir Paris qui est un désert pour l'homme pauvre. Mon nom d'artiste grandit tous les jours, mais en attendant, je reste quelquefois trois jours sans manger ; ce qui détruit non seulement ma santé, mais mon *énergie*. Cette dernière chose, je veux la reprendre et je m'en vais à Panama pour vivre en *sauvage*. Je connais, à une

Deux vases portraits. Celui du bas, sensible portrait de Jeanne Schuffenecker, la fille de l'ami de Gauguin, illustre ces mots mêmes de l'artiste : « La sculpture, comme le dessin, dans la céramique, doit aussi être modelée harmonieusement avec la matière. » Ces poteries provoquèrent immédiatement une forte impression : les contemporains parlaient de « ses étranges et sauvages céramiques où, sublime potier, il a pétri plus d'âme que d'argile ».

lieue en mer de Panama, une petite île, Taboga, dans le Pacifique. Elle est presque inhabitée, libre et très fertile...» (à Mette, fin mars 1887).

Cette recherche du paradis aboutira aux travaux forcés. En effet, parti en avril avec Charles Laval, il arrive à Panama où il espère, à tort, quelque secours de son beau-frère Uribe, époux de sa sœur Marie. Le voilà bientôt sans ressources et obligé de travailler pour le percement du canal de Panama, où l'on recherchait alors de la main-d'œuvre et des contremaîtres. Après diverses péripéties, dont le paludisme et la dysenterie, les deux amis s'installent enfin à la Martinique, qu'ils avaient admirée au passage, à l'aller. En juin, Gauguin est en mesure de peindre. «Nous avons trouvé à deux kilomètres de la ville une case nègre logée dans une grande propriété. En dessous de nous, la mer avec une plage pour prendre son bain, et de chaque côté, des cocotiers et autres arbres fruitiers admirables pour le paysagiste» (à Schuffenecker, juillet 1887).

Ce séjour, qui se termine mal – malade, il se fera rapatrier en novembre –, lui permet de peindre ses premiers superbes paysages exotiques, où il prend véritablement son envol. En effet, pour la première fois, il marque son indépendance vis-à-vis de l'impressionnisme de Pissarro et, tout en peignant encore à toutes petites touches serrées, il traduit de façon très personnelle son émerveillement, dans les accords sourds et somptueux de couleurs proches qui caractériseront désormais sa peinture. Et puis la mise en page de certaines scènes avec figures rappelle aussi que Gauguin s'intéressait à l'estampe japonaise. Mais «ce qui me sourit le plus, ce sont les figures, et chaque jour c'est un va-et-vient continuel de négresses accoutrées d'oripeaux de couleur avec des mouvements gracieux variés à "l'infini".»

La période martiniquaise est plus qu'un simple

C'est à la Martinique que Gauguin fait en 1887 son premier séjour de peintre sous les tropiques. L'hiver suivant, il est de retour à Paris, et ses luxuriants paysages (page de gauche, *Végétation tropicale*) sont très admirés par des critiques comme Félix Fénéon, des marchands comme Theo Van Gogh ou des peintres comme son frère Vincent.

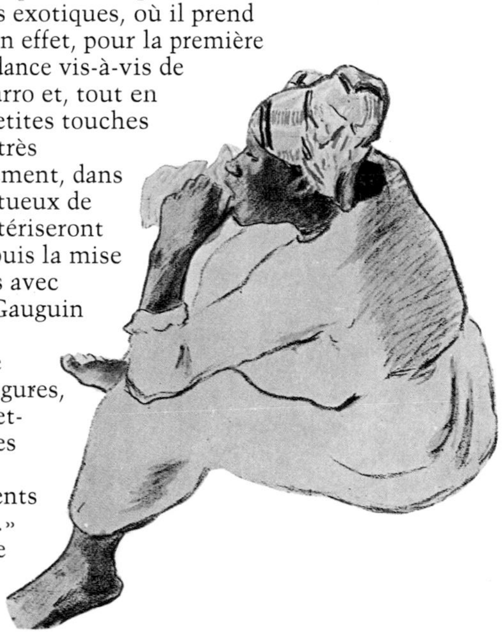

Femme de la Martinique, dessin préparatoire «mis au carreau» pour le tableau *Aux Mangos*, acheté par Theo Van Gogh.

brouillon du paradis tahitien, et Paris à son retour ne s'y est pas trompé : «Il y a dans ces sous-bois aux végétations, aux flores monstrueuses, aux figures hiératiques, aux formidables couchers de soleil, un mystère presque religieux, une abondance sacrée d'Eden», écrira bientôt Octave Mirbeau.

Gauguin, portant son gilet breton, entre ses aînés, Emil et Aline.

Nouvelles rencontres

Un bref séjour à Paris, l'hiver 1887-1888, lui apporte ses premières ventes et la rencontre de nouveaux amis qui vont jouer un rôle décisif dans sa vie : Daniel de Monfreid, qui prendra pendant les séjours de Gauguin en Océanie le relais dans ce rôle de «correspondant» et homme de confiance qu'avait jusque-là Schuffenecker, et les Van Gogh, c'est-à-dire Vincent, le peintre, depuis un an à Paris, et son jeune frère Theo, le marchand, employé dans la célèbre galerie Boussod et Valadon où il essaie de développer le secteur d'art d'avant-garde : Theo lui prend des céramiques et lui achète plusieurs tableaux, dont une grande toile martiniquaise, *Aux Mangos*, aujourd'hui au musée Van Gogh d'Amsterdam. Gauguin peut repartir en Bretagne pour de longs mois, de fin janvier à fin octobre 1888. Or ce séjour sera peut-être le moment le plus essentiel de toute son évolution, par son invention, sa fertilité et l'influence décisive qu'il exercera sur toute une génération.

«J'entends le ton sourd...»

La Bretagne, l'été 1886, avait offert un refuge commode. Cette fois, elle fait figure de mythe. Gauguin comprend maintenant qu'elle peut lui fournir mieux que le vivre et le motif : une première approche de ce qu'il cherche

A gauche, *Enfants luttant* (juillet 1888), qu'il décrit à Vincent Van Gogh (ci-dessous) : «Je viens de terminer une lutte bretonne que vous aimerez, j'en suis sûr.»

lutte bretonne que vous aimerez
j'en suis sûr

depuis plusieurs années, un ressourcement, le moyen d'exprimer quelque chose qui lui est propre. L'année précédente, il avait su convaincre de ses idées et de son talent les jeunes artistes ! Pourtant, il n'avait fait qu'exprimer des idées dans l'air – celles de Seurat à la même époque – sur l'harmonie, sur la technique des contrastes (qu'il n'appliquait pas alors dans sa propre peinture), sur la simplification nécessaire et la *synthèse* des sensations que l'artiste devait opérer.

Ces mois de 1888 vont être ceux d'un vrai changement. Pourquoi ? Bien sûr, la subite maturation d'un artiste est mystérieuse ; mais on sent d'une part que Gauguin utilise dans la peinture

Madeleine Bernard (page de gauche, son portrait par Gauguin) était la sœur cadette du jeune peintre Emile Bernard, dont l'influence sur Gauguin fut grande l'été 1888 à Pont Aven. Gauguin eut un coup de cœur pour cette adolescente ardente et absolue qui, à son grand dam, devait s'éprendre plutôt de son jeune élève, compagnon de la Martinique, Charles Laval.

Madeleine au bois d'amour a été peint par Emile Bernard à Pont-Aven ce même été 1888. «Ma sœur était très belle et très mystique. [...] Ni Gauguin ni moi ne fîmes [d'elle] autre chose qu'une caricature, étant donné nos idées d'alors sur le *caractère.*» La destinée de cette belle jeune fille, à laquelle Gauguin adressa à titre de conseil des lettres éclairantes sur ce qu'il pensait des femmes, fut courte et tragique : elle devait mourir à moins de vingt-cinq ans, un an après son fiancé Laval et, comme lui, de la tuberculose.

les simplifications et les audaces inaugurées dans sa céramique, et d'autre part que la Martinique lui aura indiqué le sens de ce qu'il cherchait, et que l'on peut résumer grossièrement par : un nouveau primitivisme. Tout cela, il l'annonce à Mette en quittant Paris : «Je vais travailler sept ou huit mois à la file, pénétré du caractère des gens et du pays, chose essentielle pour faire de la bonne peinture.» Et dans une lettre à Schuffenecker de Pont-Aven début mars 1888, ces mots qui résument tout : «J'aime la Bretagne, j'y trouve le sauvage, le primitif. Quand mes sabots résonnent sur ce sol de granit, j'entends le ton sourd, mat et puissant que je cherche en peinture.»

Quelle Bretagne ?

Depuis le romantisme, la Bretagne passait pour la région de France la plus résistante au modernisme et aux idées nouvelles; c'était pour certains la plus arriérée, pour d'autres un précieux conservatoire des traditions religieuses, celtiques, un pays de légendes déjà chanté par Renan comme «le monde primitif [où] le paganisme se dégageait derrière la couche chrétienne». La littérature s'intéressait à la Bretagne : dès 1886, le jeune turc de l'avant-garde littéraire qu'était alors Maurice Barrès résumait ainsi ses impressions de voyage : «Ici enfin, l'oiseau gaulois n'est pas terni de poussière latine», et Flaubert et Maxime du Camp, dont le *Voyage en Bretagne* venait de paraître, disaient y avoir trouvé «la forme humaine dans sa liberté native, telle qu'elle fut créée au premier jour du monde». Elle représentait donc pour Gauguin un lieu en lui-même pré-académique – l'enseignement des beaux-arts, c'était la Grèce et Rome – , un retour aux origines. Il n'est plus, cette fois, le simple impressionniste travaillant sur le motif comme en 1886, mais celui qui cherche à représenter «l'âme» du pays, le caractère immémorial de la nature et de ses habitants. Les conseils qu'il donne à Schuffenecker résument le pas immense qu'il a fait hors de l'impressionnisme :

Emile Bernard a peint l'été 1888 ces *Bretonnes dans la prairie* (page de gauche). Avec ce tableau, on comprend comment les audaces stylistiques du jeune artiste – aplats, contours cernés, simplifications, couleurs pures – ont pu influencer Gauguin.

Marine avec vache au-dessus du gouffre (ci-contre). Gauguin adopte la perspective plongeante et les grandes plages de couleurs plates des estampes japonaises, dans une composition aux entrelacs abstraits. Le critique Félix Fénéon remarquera que «la réalité» n'est pour Gauguin «qu'un prétexte à créations lointaines».

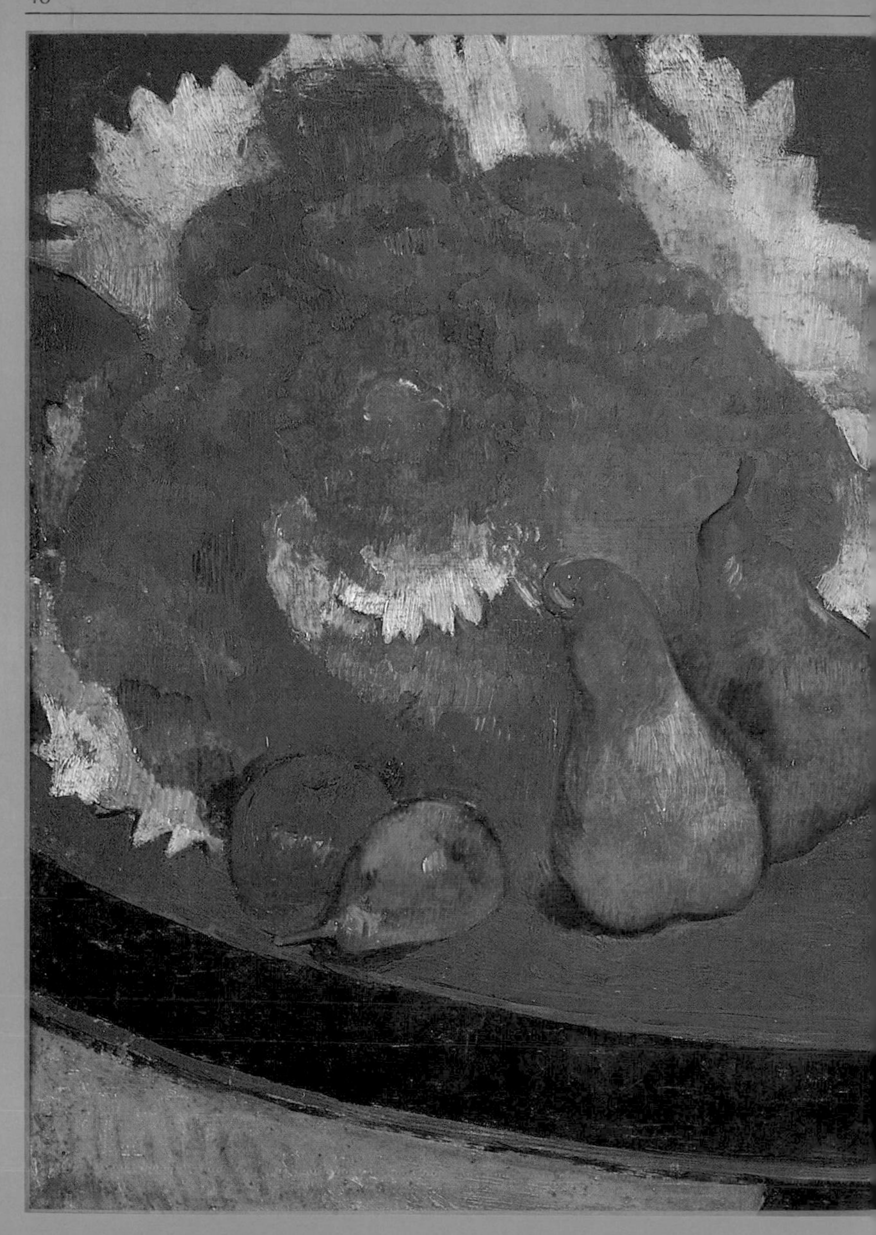

L'œuvre d'une débutante?

Cette nature morte fut donnée par Gauguin à Marie-Jeanne Gloanec, patronne de l'auberge où il prenait ses repas à Pont-Aven, à l'occasion de sa fête en août 1888. Le peintre Maurice Denis, à qui ce tableau appartint, raconte que «pour obtenir que Mme Gloanec acceptât le tableau, Gauguin le signa Madeleine B., déclarant que c'était l'œuvre d'une débutante», tant cette nouvelle manière colorée et simplifiée déplaisait à l'héroïne de la fête.

Le symbolisme en peinture

La *Vision après le sermon* ou *la Lutte de Jacob avec l'ange*, peint à la fin de l'été 1888, devait devenir les années suivantes le manifeste pictural du nouveau style simplifié et coloré – synthétiste – de Gauguin et de ses jeunes amis de Pont-Aven. C'est en le décrivant longuement que le critique Albert Aurier sacre Gauguin chef d'école du *symbolisme en peinture*.

«Je crois avoir atteint dans les figures une grande simplicité rustique et superstitieuse. Le tout très sévère. Pour moi, dans ce tableau, le paysage et la lutte [de Jacob avec l'ange] n'existent que dans l'imagination des gens en prière, par suite du sermon. C'est pourquoi il y a contraste entre les gens nature et la lutte dans son paysage, non nature et disproportionné.»

A Vincent Van Gogh, Pont-Aven, 1888

«Ne copiez pas trop d'après nature – l'art est une abstraction –, tirez-le de la nature en rêvant devant et pensez plus à la création qu'au résultat.»

«Tout à fait japonais par un sauvage du Pérou»

Cette fois, l'invention picturale accompagne la théorie et les six mois bretons sont pour Gauguin intensément productifs, ne serait-ce qu'en quantité : soixante-quinze tableaux répertoriés pour l'année 1888, vingt-quatre seulement pour l'année précédente. Quant à la qualité, quelques tableaux en témoignent : les *Enfants luttant*, où l'espace est traité de façon tout à fait neuve et non imitative, où formes et couleurs correspondent à la simplification et à la synthèse qu'il disait chercher. De l'influence des simplifications de l'estampe japonaise, il est bien conscient, et décrit son tableau comme «tout à fait japonais par un sauvage du Pérou».

La Vision après le sermon est son premier chef-d'œuvre «japonisant» : il reprend un dessin de lutteurs de Hokusai pour le motif du combat de Jacob et de l'ange. Le coloriste flamboyant et raffiné s'affirme ici pour la première fois, et ce tableau est pour lui comme un défi : «J'ai, cette année, tout sacrifié, l'exécution, la couleur, pour le style, voulant m'imposer autre chose que ce que je sais faire.» Il ne doit pas s'étonner que les distances qu'il prend vis-à-vis de la réalité déplaisent à ses anciens amis impressionnistes, à Pissarro en particulier.

Mais Gauguin sait où il va, et il est trop instinctivement peintre pour ne pas sentir les dangers d'une pure peinture d'idées : «Evidemment, cette voie du symbolisme est pleine d'écueils, [...] mais elle est dans le fond de ma nature [...]. Je sais bien qu'on me comprendra de *moins en moins.*» Et il conclut : «Vous savez bien qu'en art j'ai toujours raison dans le fond !» (à Schuffenecker, 16 octobre 1888).

Au mois d'août 1888, date de cette nature morte, *les Trois Petits Chiens,* Gauguin, on le sait par une lettre de Vincent Van Gogh à son frère, voulait faire de la «peinture d'enfant». Le sujet lui-même – trois petits chiens, trois petits verres, etc. – fait penser à une comptine, mais le style surtout, si élémentaire, si apparemment maladroit, correspond à une volonté délibérée de naïveté primitive. Le dessin de Hokusai, ci-dessous, représentant des chiots, offre l'exemple de ce que recherchait Gauguin dans les estampes japonaises : une disposition des objets sur le plan du tableau et une vue plongeante sans perspective.

Theo Van Gogh est le premier marchand qui s'intéresse vraiment à Gauguin, qui croit en son génie. C'est grâce à lui que l'artiste eut les moyens de peindre tranquillement en cette prodigieuse année 1888. C'est à lui qu'il envoie sa production si nouvelle et bientôt si controversée. Gauguin avait rencontré Vincent au retour de la Martinique, mais celui-ci n'était alors, pour lui, que le frère de son marchand.

CHAPITRE III
L'INDIEN ET LA SENSITIVE

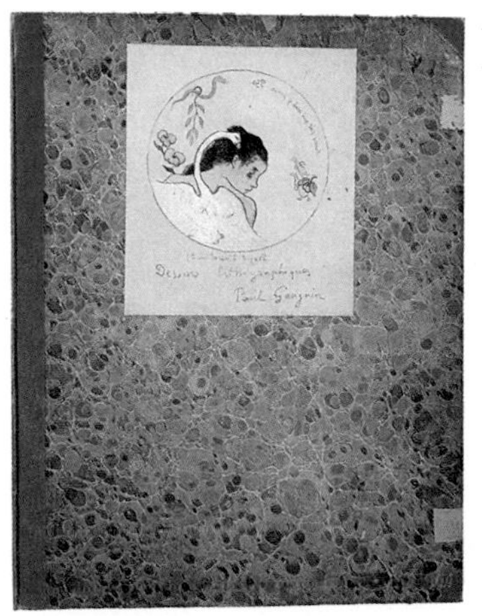

Dans une lettre à Mette, Gauguin se décrit ainsi : «Il faut se souvenir qu'il y a deux natures chez moi, l'Indien et la sensitive» : le héros farouche et l'artiste cohabite avec l'époux et le père de famille. Il se représente à la fin de 1889 dans un «autoportrait-charge», en saint avec son auréole ou en mage initié, le serpent étant symbole de divination. Ci-contre, la *Suite Volpini,* album de gravures sur bois.

Gauguin et Emile Bernard avaient participé à l'accrochage que Vincent avait organisé dans un restaurant de Montmartre, le Tambourin, en novembre 1887. Les deux artistes ont sympathisé alors, et échangé des tableaux : Gauguin choisit une des premières natures mortes de tournesols du Hollandais, Vincent lui prend en échange un paysage de Bretagne.

Autoportrait de Gauguin dédicacé «à l'ami Vincent» (Van Gogh) avec, de profil, l'image de leur ami commun, le jeune peintre Emile Bernard.

Cette amitié célèbre, pleine d'éclats et de désastres entre ces héros de la peinture moderne, est à l'origine une relation complexe à quatre personnes, puisqu'il faut y ajouter Theo et un ami de Vincent au talent très précoce, Emile Bernard. Celui-ci avait déjà rencontré Gauguin à l'été 1886, mais ce n'est qu'à l'été 1888 qu'il jouera un rôle clé dans la vie artistique du peintre; Bernard se plaindra ensuite toute sa vie que Gauguin lui eut usurpé l'invention du synthétisme et du cloisonnisme. Il est évident qu'en 1887, quand Gauguin était encore impressionniste, Bernard peignait déjà en grandes plages de couleurs vives, très délimitées, cernées, simplifiées, et il est incontestable que si son tableau *Bretonnes dans la prairie* a véritablement été peint avant *la Vision*, c'est le jeune homme qui aura marqué Gauguin. Mais qu'importe! Ce qu'en a tiré le plus célèbre des deux est évidemment plus puissant et novateur, et tout grand artiste absorbe ce qui peut le faire avancer. La querelle est stérile et n'enlève rien ni à l'un ni à l'autre, même si Gauguin a su faire son profit des trouvailles d'un tout jeune homme dont les ignorances et la fraîcheur permettaient d'emblée de plus grandes audaces.

Theo Van Gogh, jeune frère de Vincent et son soutien moral et financier, était responsable de l'art moderne dans la celèbre galerie Goupil et Valadon.

«A l'ami Vincent» : un autoportrait en Jean Valjean

Vincent Van Gogh, dans sa solitude d'Arles, l'été 1888, envie le phalanstère breton et rêve d'attirer ses amis auprès de lui. Il leur réclame leur portrait et leur envoie le sien. Celui qu'il reçoit de Gauguin, intitulé *les Misérables* et dédicacé «à l'ami

«Ce petit fond de jeune fille, avec ses fleurs enfantines, est là pour attester notre virginité artistique. Et ce Jean Valjean [héros des *Misérables* de Hugo, d'où le titre du tableau] que la société opprime, mis hors la loi avec son amour, sa force, n'est-il pas l'image aussi d'un impressionniste aujourd'hui? Et en le faisant sous mes traits, vous avez mon image personnelle ainsi que notre portrait à tous, pauvres victimes de la société.»

Lettre à Van Gogh, octobre 1888

Vincent», est longuement commenté par son auteur : «Je me sens le besoin d'expliquer ce que j'ai voulu faire. Le masque de bandit mal vêtu et puissant comme Jean Valjean qui a sa noblesse et sa douceur intérieures. Ce sang en rut inonde son visage et les tons en feu de forge qui enveloppent les yeux indiquent la lave de feu qui embrase notre âme de peintre. Le dessin des yeux et du nez semblable aux fleurs sur les tapis persans résume un art abstrait et symbolique.»

L'explication formelle est passionnante et montre la direction que Gauguin est en train de prendre en s'éloignant du réalisme impressionniste. Quelques semaines plus tôt, il avait écrit à Vincent qu'il ne se sentait «pas en état» de faire un portrait «attendu que ce n'est pas la copie d'un visage que vous désirez [...]. En tout cas ce sera une abstraction.»

Pourtant, quelle présence! Bien sûr, il y a de la pose dans ce désir de se peindre en martyr, en héros romantique, comme le banni des *Misérables* de Hugo, mais ce portrait correspond bien à la fois à une conscience de sa grandeur nouvelle et à une rupture irréversible avec sa famille et sa vie antérieure.

Banni par sa femme – c'est le leitmotiv de toutes ses lettres à Mette –, il en souffre beaucoup plus qu'on ne pourrait l'imaginer, et ses enfants – Gauguin, malgré les apparences, était un père fort tendre – lui manquent beaucoup. Ses divers échecs ne font que renforcer une «vocation» qui est désormais vitale. Il est condamné au génie, à la solitude, aux «fuites en avant» successives.
Une lettre à Mette résume bien la façon dont il transforme en force sa faiblesse et trouve dans la peinture une raison de vivre : «Depuis mon départ, afin de conserver mes forces morales, j'ai fermé petit à petit le cœur sensible. Tout est endormi de ce côté-là et il serait dangereux pour moi de voir mes enfants à côté de moi pour m'en aller après.
Il faut se souvenir qu'il y a deux natures chez moi, l'Indien et la sensitive.

La sensitive a disparu, ce qui permet à l'Indien de marcher tout droit et fermement» (février 1888).

Deux versions d'une même scène prise sur le vif dans le Jardin des Poètes : c'est probablement *Vieilles Femmes à Arles*, de Gauguin, qui est inspiré de la toile de Van Gogh (à droite) et non l'inverse, comme on l'a cru.

Deux mois à Arles

Poussé par Theo Van Gogh qui lui propose d'acheter sa production s'il part rejoindre Vincent, Gauguin, sans grand enthousiasme, quitte Pont-Aven pour Arles où il arrive le 23 octobre. Il y demeurera deux mois : un séjour célèbre, dont Gauguin fera lui-même plus tard le récit. De cette période tellement connue, on peut retirer quelques certitudes : la première est que les échanges d'idées et l'émulation rendirent la cohabitation extrêmement fructueuse pour les deux peintres; la seconde, c'est que leur amitié était orageuse, mais bien réelle. Gauguin, égoïste, impérieux, habitué à dominer, devait être lassé des maladives sautes d'humeur de Vincent, de son besoin d'interminables discussions esthétiques et morales, parfois portées à l'incandescence hystérique. Et puis, à l'affection de Gauguin, se mêlait aussi l'intérêt porté au frère du marchand. Quant à Vincent, impressionné – «sans le moindre doute, nous nous trouvons en présence d'un être vierge à instincts de sauvage» –, il est convaincu par la personnalité de Gauguin plus que par son intelligence. Sans doute agacé par les ambitions «symbolistes» et parfois confuses de son compagnon, il admire cependant l'artiste, surtout le peintre de la «nature tropicale» qui n'est encore alors que celle de la Martinique. Enfin, on le mesure mieux maintenant, depuis la publication récente des lettres échangées entre Gauguin et les deux frères, cette affection et cette fraternité artistique ont survécu aux crises démentes de Vincent et à l'épisode fameux de l'oreille coupée. Jusqu'au suicide de Vincent à Auvers en 1890, ils s'écrivent régulièrement : «Je dois beaucoup à Theo et à Vincent», écrit Gauguin à la fin de son séjour à Arles, «et, malgré quelque discorde, je ne puis en vouloir à un cœur excellent qui est malade, qui souffre et qui me demande.»

La cohabitation dans la «petite maison jaune» d'Arles, aujourd'hui disparue, ne dut pas être facile. Ses lettres l'indiquent : «Je suis à Arles tout dépaysé,

tellement je trouve tout petit, mesquin, le paysage et les gens. Vincent et moi, nous sommes bien peu d'accord en général et surtout en peinture. Il admire Daumier, Daubigny, Ziem et le grand Théodore Rousseau, tous gens que je ne peux pas sentir. Et, par contre, il déteste Ingres, Raphaël, Degas, tous gens que j'admire [...]. Il aime beaucoup mes tableaux mais quand je les fais, il trouve toujours que j'ai tort, de ceci, de cela», écrit Gauguin à Emile Bernard, pour conclure : «Il est romantique et moi, je suis plutôt porté à un état primitif.» Et pourtant, comment ne pas penser aux personnages bretons et tahitiens peints ultérieurement par Gauguin lorsque Vincent parle, au cours de son séjour (on en a l'écho dans une lettre à son frère), de «peindre des hommes et des femmes avec ce je ne sais quoi d'éternel,

Au *Café*, peint en novembre 1888, représente l'intérieur du Café de la Gare, place Lamartine à Arles, tenu par M. et Mme Ginoux, souvent peints par Van Gogh (Mme Ginoux est le modèle de la célèbre *Arlésienne*).

«J'ai fait aussi un café que Vincent aime beaucoup et que j'aime moins. Au fond, ce n'est pas mon affaire, et la couleur locale canaille ne me va pas. Je l'aime bien chez les autres, mais j'ai toujours de l'appréhension [...]. En haut, papier rouge et trois putains, une avec la tête hérissée de papillotes [...]. Au premier plan, une figure assez exécutée d'Arlésienne [...]. Le tableau est traversé par une bande de *fumée bleue*, mais la figure du premier plan est beaucoup trop comme il faut.»

A Emile Bernard

Cette description par Gauguin de son tableau *Au Café* était accompagnée d'un croquis (page de gauche, en haut, un extrait de la lettre).

Vincent vu par Gauguin

“J'eus l'idée de faire son portrait en train de peindre la nature morte qu'il aimait tant, *les Tournesols.* Et, le portrait terminé, il me dit "c'est bien moi, mais moi devenu fou."”

Avant et Après

Plus tard, Vincent ajoutera en commentant ce tableau dans une lettre à Theo : «C'est bicn moi, extrêmement fatigué et chargé d'électricité, comme j'étais alors.» (10 septembre 1889). On remarque la chaise cannée près du chevalet où est posé le vase : c'est celle que Van Gogh peindra, vide avec une bougie comme «la chaise de Gauguin», symbole de son absence. La composition même, plongeante et décalée, exprime une sorte d'effondrement et de tension qui cn fait aussi un portrait psychologique.

Des Bretonnes en Arles

Dans *Vendanges à Arles* ou *Misères humaines,* Gauguin fait prendre à la femme du premier plan la position d'une momie péruvienne pour figurer ici l'accablement et la fatigue de la vendangeuse

«Des vignes pourpres forment triangle sur le haut jaune de chrome. A gauche, Bretonnes du Pouldu, noir et tablier gris. Deux Bretonnes baissées à robes bleu-vert clair et corsage noir [...]. C'est un effet de vignes que j'ai vu à Arles. J'y ai mis des Bretonnes, tant pis pour l'exactitude! C'est ma meilleure toile de cette année.»

A Emile Bernard

dont autrefois le nimbe était le symbole, et que nous cherchons par le rayonnement même, par la vibration de nos colorations».

Le Pouldu 1889-1890 : le temps du «primitivisme»

Ainsi que Gauguin est en train de le comprendre, sa propre singularité, l'essence de son art, passe par ce qu'il pensait être ses carences, son manque de formation technique, sa «sauvagerie». Désormais, il sait qui il est, il sait où il va. Après les longs séjours à Pont-Aven, il choisit de s'installer en octobre 1889 au Pouldu, pour s'isoler davantage d'un lieu devenu trop «touristique» à son goût. Ce petit village de pêcheurs au bord de la mer deviendra ainsi un deuxième haut lieu breton de l'histoire de la peinture. L'auberge de Marie Henry – où il est entouré de peintres qui se considèrent un peu comme ses disciples : Meyer de Haan, Emile Bernard avec qui il se brouillera bientôt, Sérusier, Filiger, Armand Seguin –, sera le centre d'une nouvelle thébaïde artistique. Il y peindra coup sur coup en quelques mois une série de chefs-d'œuvre de plus en plus libres, colorés, imaginatifs, mais toujours à partir de la réalité bretonne, et de ce qu'il y trouve de rude, d'essentiel et de primitif.

Le *Christ jaune* est peint à l'automne 1889, d'après une sculpture polychrome de l'église de Trémalo, près de Pont-Aven. Comme dans *la Vision*, Gauguin imagine des Bretonnes, observées quotidiennement, mêlées à une scène biblique. Ci-contre, Gauguin photographié dans le costume breton qu'il arborait à Pont-Aven.

Exemples de ce «primitivisme» ou «synthétisme» breton : *le Christ jaune* et *la Belle Angèle*. Le premier tableau fut sans doute commencé à Pont-Aven, puisqu'il représente un bois polychrome populaire, aujourd'hui encore dans la chapelle de Trémalo, tout près du bourg. Il mêle dans son tableau le réel et l'imaginaire, en replaçant le Christ sur un fond de paysage jaune et rouge, et en l'entourant de saintes femmes qui sont des Bretonnes en coiffe. Les couleurs vives posées sans hachure, les formes cernées d'une fine ligne bleue en font un exemple de ce «cloisonnisme» emprunté au travail du vitrail, de l'émail ou de certaines poteries. Ce tableau devait enthousiasmer la critique : Octave Mirbeau allait bientôt parler d'«un mélange inquiétant et savoureux de splendeur barbare, de liturgie catholique, de rêverie hindoue, d'imagerie gothique, de symbolisme obscur et subtil» (février 1891).

Dans *la Belle Angèle,* au visage endormi de «jeune vache [...] si frais et si campagne», comme

Autoportrait de Gauguin (1889-1890), devant deux de ses œuvres récentes : le *Christ jaune* (à l'envers, puisque peint dans la glace) et une poterie également en forme d'autoportrait. Il avait offert ce pot à tabac à Madeleine Bernard – qui ne l'avait pas accepté – avec une lettre expliquant qu'«il représente vaguement Gauguin le sauvage».

l'écrit Theo Van Gogh, il associe le primitivisme du personnage même à celui de la poterie péruvienne posée près de lui. Le visage dans un cercle est inspiré des estampes populaires japonaises montrant des portraits d'acteurs.

Quant à certains nus, comme *Dans les vagues*, la simplification de la perspective sans horizon due au japonisme et l'innocence rude du nu et du visage en font une des premières images mythiques de l'ingénuité des origines, qui prendra sa dimension à Tahiti, mais naît pour Gauguin dans le Finistère.

1889 : le Paris de l'Exposition universelle

En trois ans, Gauguin s'était imposé, au moins dans le milieu de l'avant-garde. Non seulement son talent, voire son génie, s'était affirmé, mais il avait trouvé quelques acheteurs, un marchand, des amis artistes et écrivains pour l'encourager et l'admirer. Il n'avait pas montré un ensemble d'œuvres depuis la dernière exposition impressionniste en 1886. Deux occasions en 1889 permettront de voir son travail : il participe en février au Salon des XX à Bruxelles (ainsi nommé parce qu'à l'origine vingt artistes y montraient leurs œuvres), une des plus brillantes manifestations de l'avant-garde en Europe, avec douze tableaux; puis, plus largement encore, à l'exposition du «Groupe impressionniste et synthétiste» organisée par Schuffenecker et lui-même dans le café d'un certain Volpini, dans l'enceinte de l'Exposition universelle de 1889.

Souvent, Gauguin reprend le même motif dans des matériaux différents : à gauche, en haut, *Dans les vagues* ou *Ondine* est une toile peinte au printemps 1889, peut-être un écho de l'admiration du peintre pour la série des *Nus à leur toilette* de Degas, qu'il venait de voir exposée à Paris. En revanche, le motif des vagues et les grands aplats viennent des estampes japonaises. En bas, le relief de bois sculpté et peint *Soyez mystérieuses* reprend la scène en préfigurant les images de nus tahitiens.

La Belle Angèle, portrait – refusé par le modèle – d'Angèle Satre, fut acheté par Degas à la vente que Gauguin fit à l'hôtel Drouot en 1891, pour se donner les moyens de partir pour Tahiti. Quand Theo Van Gogh reçut ce tableau, il en parla à Vincent : «C'est un bien beau tableau [...] disposé sur la toile comme les crépons japonais [...]. La femme ressemble un peu à une jeune vache, mais il y a quelque chose de si frais et [...] si campagne que c'est bien agréable à voir.»

Passée inaperçue du grand public, cette manifestation est une date dans l'histoire de la peinture moderne : c'est là que les jeunes peintres de la génération suivante, Bonnard, Denis, Vuillard... vont découvrir cette nouvelle peinture que Sérusier, leur massier (responsable de l'organisation de l'atelier) de l'académie Julian, leur avait dévoilée par l'intermédiaire d'un panneau peint à Pont-Aven sous la conduite de Gauguin et qu'ils considéraient comme un talisman. Les recherches de Gauguin sont une révélation pour de jeunes écrivains qui vont prendre sa défense, en particulier Charles Morice et le poète Albert Aurier qui, jusqu'à sa mort prématurée en 1893, se fera le défenseur de Gauguin dans les revues.

L'été 1888, Paul Sérusier peignit *le Bois d'amour,* sous la direction de Gauguin, en couleurs pures, sans modelé ni profondeur.

L'Exposition universelle de 1889 devait passionner Gauguin. D'abord, il prend vigoureusement parti dans la polémique suscitée par la tour Eiffel à peine terminée. Il publie un article sur «l'Art à l'Exposition universelle», où il chante le «triomphe du fer» et de la «dentelle gothique en fer» pour réclamer une nouvelle architecture d'ingénieur qui renoncerait au décor stuqué et doré au profit de la structure du matériau même.

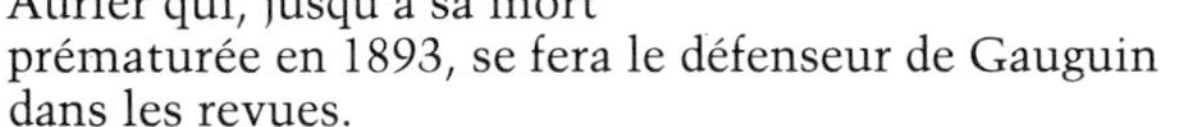

Autres objets de sa quête vers l'authentique dans l'exposition, les pavillons coloniaux le fascinent, ainsi que toutes les formes d'habitat et les exemples de manière de vivre exotiques. Il examine avec passion les reproductions des temples d'Angkor-Vat et de Borobudur, le pavillon de Java avec ses danseuses. Dès son retour au Pouldu cet été-là, il parle à Emile Bernard de ses projets pour l'hiver suivant : «Si je peux à cette époque obtenir quoi que

Ce panneau de bois fut rebaptisé *le Talisman* par les futurs Nabis. Ceux-ci découvrirent ensuite, avec enthousiasme, l'art de Gauguin et de ses amis, à l'exposition du café Volpini.

ce soit au Tonkin, je file étudier les Annamites. Terrible démangeaison d'inconnu qui me fait faire des folies.»

«Là est l'avenir d'une grande renaissance de la peinture»

Bientôt, il pense plutôt aller à Madagascar dont les récits de la femme d'Odilon Redon l'ont fait rêver. «Je fonde alors l'atelier des tropiques. Viendra m'y trouver qui voudra», écrit-il à Bernard. Puis il précise, espérant avoir assez d'argent pour «acheter une case du pays, comme celles que vous avez vues à l'Exposition universelle [...], la femme là-bas est pour ainsi dire obligatoire, ce qui me donnera modèle tous les jours». Sa frénésie de départ se double de l'idée de fonder un phalanstère d'artistes selon le vœu de Van Gogh.

L'Exposition universelle de 1889 fut l'occasion de gigantesques constructions de métal : la galerie des Machines, aujourd'hui disparue, et la tour Eiffel. Ci-dessus, la base de la tour qui venait d'être inaugurée. En bas à gauche, des danseuses en représentation dans le pavillon javanais.

C'est d'ailleurs peut-être ce dernier qui avait incité Gauguin à aller à Tahiti : déjà ses tableaux de la Martinique ont évoqué à Vincent cette île qu'il connaît par Pierre Loti. Qui sait? le souvenir de l'enthousiasme de Vincent pouvait nourrir ses espérances : «Ce que Gauguin raconte des tropiques me semble merveilleux, écrivait Van Gogh. Certes, là est l'avenir d'une grande renaissance de la peinture.»

En effet, Gauguin veut fuir cet «Occident pourri» par la civilisation industrielle : «Tout ce qui est Hercule peut, comme Antée, prendre des forces nouvelles en touchant le sol de là-bas. Et on revient un ou deux ans après, solide...»

Quand il écrit à Odilon Redon en septembre 1890, il ne parle plus de revenir si vite : «Madagascar est encore trop près du monde civilisé, je vais à Tahiti et j'espère y finir mon existence. Je juge que mon art, que vous aimez, n'est qu'un germe et j'espère là-bas le cultiver pour moi-même à l'état primitif et sauvage.»

Le produit d'une vente publique de ses tableaux à Drouot en février 1891, bien préparée par la presse – son ami Charles Morice a obtenu d'Octave Mirbeau des articles dans *l'Echo de Paris* et *le Figaro* – lui permet d'envisager le départ. Après une courte visite à Copenhague pour voir sa famille, il part enfin de Marseille le 1er avril.

Gauguin a représenté ici, de façon sarcastique, la famille Schuffenecker, chez qui il logeait, à Paris, en janvier 1889.

Quelques jours avant son départ, un banquet réunit ses amis. Mallarmé se lève et porte un toast : «Messieurs, pour aller au plus pressé, buvons au retour de Paul Gauguin, mais non sans admirer cette conscience superbe qui, en l'éclat de son talent, l'exile pour se retremper vers les lointains et vers soi-même.»

Dans cet autoportrait en céramique (en bas à gauche), Gauguin s'est représenté la tête coupée, en supplicié de l'art, en martyr, moderne Christ, nouvel Orphée. Sa céramique est un symbole, mais aussi un objet utilitaire, que l'on retrouve, remplie de fleurs, dans une de ses plus somptueuses natures mortes, dite *à l'estampe japonaise* (été 1889).

Ci-dessus, le buste en bois, sculpté de façon délibérément rude et primitive, de Meyer de Haan, son ami et élève avec lequel il vivait dans l'auberge de Marie Henry au Pouldu, l'hiver 1889-1890.

«Je pars pour être tranquille, pour être débarrassé de l'influence de la civilisation. Je ne veux faire que de l'art simple, très simple; pour cela j'ai besoin de me retremper dans la nature vierge, de ne voir que des sauvages, de vivre leur vie, sans autre préoccupation que de rendre, comme le ferait un enfant, les conceptions de mon cerveau avec l'aide seulement des moyens d'art primitifs, les seuls bons, les seuls vrais.»

Interview de Gauguin par Jules Huret, *l'Echo de Paris*, 1891

CHAPITRE IV
IA ORANA TAHITI

L'*Homme à la hache*, peint au cours des premiers mois du séjour, illustre une scène caractéristique de la vie quotidienne simple et harmonieuse des Tahitiens. Ci-contre, Teha'amana, la vahiné avec laquelle Gauguin passera ces deux années.

Gauguin n'arrive à Papeete que le 9 juin 1891, après plus de deux mois de voyage. L'arrivée de l'«artiste peintre en mission» surprend : «Disons-le tout de suite, dès son débarquement Gauguin avait attiré les regards des indigènes, provoqué leur étonnement et surtout leurs lazzis, surtout ceux des femmes. Grand [sic], droit, taillé en force, gardant, malgré sa curiosité déjà éveillée et soucieuse sans doute de ses futurs travaux, un grand air de profond dédain [...], ce qui retenait l'attention surtout [sur Gauguin], c'était ses longs cheveux poivre et sel tombant en nappes sur ses épaules au-dessous d'un vaste chapeau de feutre brun à larges bords, à la cow-boy», témoigne le lieutenant Jénot, en poste à Tahiti, qui assiste à la scène.

Papeete, à la fin du siècle, est une petite ville coloniale, déjà très occidentalisée. C'est en s'en éloignant que Gauguin découvrira, en même temps que des paysages majestueux, la véritable vie tahitienne.

Au début, il peint peu : «Voici déjà vingt jours que je suis arrivé. J'ai déjà tant vu de nouveau que je suis tout troublé. Il me faudra encore quelque temps pour faire un tableau.»

En réalité, il est tout à fait déçu en arrivant à Papeete, petit port colonial sans grand caractère, aux maisons couvertes de tôle, où tout est cher. En fait de «sauvages» ingénus, il découvre surtout les filles vénales du quartier du marché, les cabaretiers chinois et des petits colons alcooliques. S'il ne peint pas encore, il fait plus ou moins joyeusement ce qu'on appelle à Tahiti la «bringue», en ces fêtes du 14 Juillet qui durent des semaines.

Il espère d'abord gagner sa vie à Papeete en faisant des portraits : cette fois rasé, habillé comme un «colonial», il fréquente quelque temps le huppé cercle militaire. Hélas! peu de commandes résultent de cet effort, sauf celle d'une Anglaise excentrique, épouse d'un chef maori des îles Sous-le-Vent. Le superbe portrait de Suzanne Bambridge, peu flatté, ne fait pas de Gauguin un peintre à la mode dans la communauté. Peu après son arrivée, l'artiste avait assisté aux funérailles du dernier roi de Tahiti, Pomaré V. Il lui semble qu'il arrive décidément trop tard, dans un monde qui disparaît. Fin septembre, il s'éloigne de la ville, et s'installe à près de quatre-vingts kilomètres du centre, dans le district de Mataiea, avec une petite métisse, Titi, qui retournera bien vite à Papeete.

Mataiea, au bord du lagon

C'est là qu'il découvre enfin pour de bon la nature et la vie tahitiennes. «Tout m'aveuglait, m'éblouissait dans le paysage. Venant de l'Europe, j'étais toujours incertain d'une couleur, cherchant midi à quatorze heures : cela était cependant si simple de mettre sur ma toile un rouge et un bleu» (*Noa Noa*). «Jusqu'à présent, je n'ai rien fait de saillant ; je me contente de fouiller mon moi-même et non la nature, d'apprendre à dessiner [...] et puis je cumule des documents pour peindre à Paris» (à Monfreid, 7 novembre 1891).

Le choix de cet endroit superbe, où se trouve aujourd'hui le musée Gauguin, alors à plus de cinq heures de la ville en carriole, est révélateur des subites décisions de Gauguin. Il avait rencontré à Papeete, pendant les fêtes, le chef de ce district, Tetuami, le plus francophile des chefs de l'île, envoyé à Paris comme délégué de la colonie à l'Exposition universelle de 1889. Ce piquant détail est dû aux trouvailles de Bengt Danielsson, navigateur et ethnologue, dans l'excellente enquête qu'il fit sur Gauguin à Tahiti et aux Marquises, au début des années 1950, lorsque de nombreux témoignages oraux permettaient une reconstitution non mythologique de la vie du peintre. En effet, malgré ses efforts, Gauguin ne parvenait pas à apprendre le tahitien et il dut être soulagé de trouver un homme qui lui proposait de s'éloigner vers une sauvagerie plus authentique, mais partageait avec lui des références communes et parlait français.

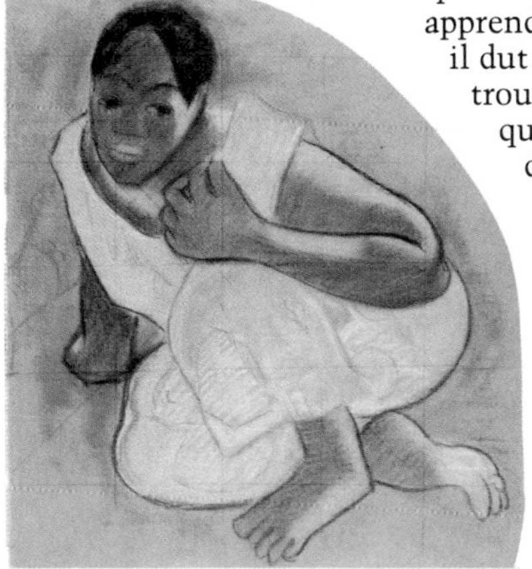

Ci-contre, dessin préparatoire et mise au carreau pour le tableau *Quand te maries-tu ?* 1892.

«Mataiea est l'un des endroits les plus beaux de Tahiti, la plaine côtière y est extrêmement large et les hautes montagnes, n'étant pas trop en surplomb, offrent un décor majestueux. Les rouleaux qui défilent sur le récif de corail bordant le lagon sont plus imposants que partout ailleurs en raison des forts alizés du Sud. Enfin, le lagon est exceptionnellement beau avec ses teintes changeant du vert clair au bleu foncé et ses deux petits îlots chargés de cocotiers» (Danielsson).

Scène familière sur une véranda, appelée souvent *la Sieste.* La visiteuse, de dos, est venue bavarder à l'ombre avec ses amies, dont l'une est en train de repasser.

«Je sens tout cela qui va m'envahir...»

Voilà enfin Gauguin dans un décor digne de ses rêves. Il reprend courage, loue un simple *fare*, case de bambous à la toiture de feuilles. Mais s'il peint parfois l'admirable paysage, *Sous les pandanus* ou *le Grand Arbre*, il s'attache surtout à saisir les images de la vie quotidienne d'une population aimable et belle, qui lui paraît d'autant plus mystérieuse que tout échange verbal reste très sommaire. Des premiers mois datent ses plus beaux visages de Tahitiens et de Tahitiennes, graves, attentifs. Comme il l'avait fait en Bretagne, il s'imprègne du caractère des lieux et des gens, de la splendeur et de la mélancolie mêlées, particulières aux paysages tropicaux et à leurs habitants. «Je t'écris le soir, dit-il à Mette, ce silence, la nuit à Tahiti, est encore plus étrange que le reste. Il n'existe que là, sans un cri d'oiseau pour troubler le repos. Par-ci, par-là, une grande feuille sèche qui

L*e Repas* (1891) montre des petits Tahitiens attentifs et intimidés devant une nature morte exotique. Au premier plan, un superbe régime de bananes rouges – appelées *fei* à Tahiti – dont Gauguin réutilisera à plusieurs reprises la puissance décorative et la couleur flamboyante.

tombe mais qui ne donne pas l'idée du bruit. C'est plutôt comme un frôlement d'esprit. Les indigènes circulent souvent la nuit mais pieds nus et silencieux. Toujours ce silence. Je comprends pourquoi ces individus peuvent rester des heures, des journées, assis sans dire un mot et regarder le ciel avec mélancolie. Je sens tout cela qui va m'envahir.» Cette immobilité, cette torpeur semblent avoir beaucoup frappé Gauguin ; les tableaux des premiers mois de son séjour – *les Femmes sur la place* et *le Repas, la Boudeuse* ou *la Sieste* – en expriment la poésie. Tout l'accable. Même quand il peint un homme en plein travail, *l'Homme à la hache*, celui-ci semble avoir arrêté son mouvement, pétrifié dans une sombre songerie.

«Ce feu robuste d'une force continue...»

Il parle longuement de son premier portrait *Vahine no te tiare* dans *Noa Noa* : «Pour bien m'initier à ce caractère d'un visage tahitien, à tout ce charme d'un sourire maori, je désirais depuis longtemps faire un portrait d'une voisine de vraie race tahitienne [...]. Peu jolie en somme comme règle européenne, belle pourtant. Tous ses traits avaient une harmonie raphaélique dans la rencontre des courbes, la bouche modelée par un sculpteur parlant toutes les langues du langage

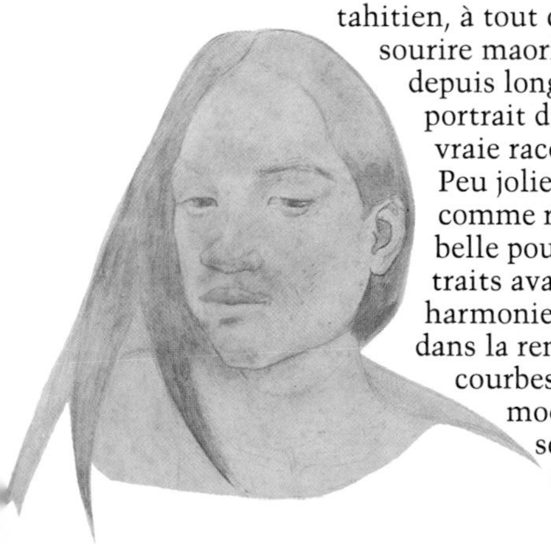

Ta Matete (le Marché) est à la fois une scène observée – évoquant ces jeunes femmes peu farouches de Papeete, qui s'offrent, assises en rangs comme à l'étalage – et la reprise d'une peinture égyptienne de tombe thébaine dont Gauguin possédait une photographie.

Ci-contre, à gauche, l'un des dessins de ces beaux visages tahitiens qu'il multiplie à son arrivée.

Vahine no te Tiare
P. Gauguin 91

La *Vahine no te tiare*, c'est-à-dire la femme à la fleur, à gauche, est d'après le récit de *Noa Noa*, la première Tahitienne à avoir accepté de poser pour Gauguin.

Ia orana Maria signifie en tahitien «je vous salue Marie». Gauguin décrit lui-même à Daniel de Monfreid en 1891 son image biblique océanienne : «Un ange aux ailes jaunes indique à deux femmes tahitiennes Marie et Jésus tahitiens eux aussi (...), vêtu du paréo, espèce de cotonnade à fleurs qui s'attache comme on veut à la ceinture. Fond de montagne très sombre et arbre en fleur. Chemin violet foncé et premier plan vert émeraude. A gauche, des bananes. J'en suis assez content.»

et du baiser, de la joie et de la souffrance, cette mélancolie de l'amertume mêlée au plaisir [...], ce fut un portrait ressemblant à ce que mes yeux *voilés par mon cœur* ont aperçu. Je crois surtout qu'il fut ressemblant à l'intérieur. Ce feu robuste d'une force contenue. Elle avait une fleur à l'oreille écoutant son parfum. Et son front dans sa majesté, par des lignes surélevées, rappelait cette phrase de Poe : il n'y a pas de beauté parfaite sans une certaine singularité dans les proportions.»

«Ia orana Maria»

Une des particularités du district de Mataiea est que les Tahitiens y sont catholiques, et non protestants comme dans le reste de l'île. Est-ce à l'église que Gauguin a entendu ces premiers mots de l'Ave Maria en tahitien? Dans son tableau, la scène syncrétique est une version exotique du *Christ jaune* ou de la *Vision après le sermon* : une scène où la Bible revit dans un monde anachronique et exotique, illustrant une ferveur primitive.

Tout se passe comme si Gauguin, plongé dans un rêve, superposait deux scènes, l'une réelle – Marie et Jésus tahitiens au premier plan près d'une somptueuse nature morte de bananes – et l'autre imaginaire et «artistique» – avec un ange inspiré de Botticelli et les deux orantes des reliefs de Borobudur dont il avait emporté des photographies –, l'ensemble étant relié par un coloris somptueux où dominent le jaune, le rouge et le bleu. Gauguin le décrit longuement à Monfreid dans une lettre de mars 1892 et conclut : «J'en suis assez content.»

Fatata te miti (Près de la mer, 1892) montre de jeunes Tahitiennes au bain, scène qui devait enchanter le peintre en lui offrant à la fois un exemple de vie primitive édénique et des modèles aussi gracieux que gratuits. Au premier plan, l'exubérance du décor et de la couleur qui envahit de plus en plus la peinture de Gauguin.

Te nave nave fenua (Terre délicieuse) représente une jeune Tahitienne dans une posture inspirée des reliefs de Borobudur dont Gauguin avait vu les moulages à l'Exposition universelle de 1889. Une Eve à la tahitienne, dont la pomme est devenue une fleur imaginaire en forme de plume de paon et le serpent, animal qui n'existe pas à Tahiti, un lézard fabuleux aux ailes rouges.

Ce masque en bois sculpté et poli est un portrait de Teha'amana, la vahiné de Gauguin, sa fleur à l'oreille.

Teha'amana

«Je suis en plein travail, maintenant je connais le sol, son odeur, et les Tahitiens que je fais d'une façon très énigmatique n'en sont pas moins des Maoris et non des Orientaux des Batignolles. Il m'a fallu presque un an pour arriver à le comprendre» (juillet 1892). Il omet un détail d'importance dans sa lettre à Mette : s'il connaît désormais de façon si authentique les Tahitiens, c'est qu'il vit lui-même avec une jolie et très jeune – treize ans – Polynésienne, dont une sculpture de bois patiné garde la mémoire. Elle sera, semble-t-il, l'Eve primitive de ses rêves, belle, tranquille, silencieuse, et le modèle

L'aquarelle pointilliste de la page de gauche est faite d'après le tableau *Te nave nave fuena* (Terre délicieuse), représentant l'Eve tahitienne du paradis de Gauguin.

Ci-contre, deux pages du manuscrit illustré de *Noa Noa*. En haut, aquarelle montrant deux divinités polynésiennes. En bas, une page aquarellée sur laquelle sont collées une de ses gravures sur bois représentant Hina et Fatu et la photographie d'une Tahitienne catholique et fleurie.

METUA NO

de ses plus belles œuvres de cette année 1892-1893.

Son visage doux et buté et son sombre petit corps musclé sont le sujet de tableaux célèbres répartis aujourd'hui dans les musées du monde entier : *la Femme au mango*, *Te nave, nave fenua*, *Manao tupupau* et *les Ancêtres de Teha'amana*. Gauguin a raconté comment, ayant décidé de partir à la découverte de l'île, il arrive dans un district moins civilisé où on lui propose une vahiné : Teha'amana, qu'il nomme Tehura dans le récit un peu arrangé qu'il rédigera à Paris, *Noa Noa*.

«Je me remis au travail et le bonheur succédait au bonheur. Chaque jour au petit lever du soleil, la lumière était radieuse dans mon logis. L'or du visage de Tehura inondait tout l'alentour et tous deux dans un ruisseau voisin, nous allions naturellement, simplement comme au paradis, nous rafraîchir [...]. Ma nouvelle femme était peu bavarde, mélancolique et moqueuse. Tous deux nous nous observions : elle était impénétrable, je fus vite vaincu dans cette lutte. Malgré toutes mes promesses intérieures, mes nerfs prenaient vite le dessus et je fus en peu de temps pour elle un livre ouvert.»

Il semble bien que pendant ces quelques mois – et ceux-là seulement dans tout son exil océanien –, Gauguin ait vu coïncider son éden imaginaire avec la réalité : une quiétude domestique faite d'affection et de volupté et un moment d'intense production picturale.

Gauguin a peint son amie, digne et royale, au centre de ce tableau intitulé *Mehari metua no Teha'amana* (les Ancêtres de Teha'amana). Derrière elle, un décor imaginaire, destiné à évoquer des secrets ancestraux. Le dessin ci-contre est peut-être une étude préparatoire pour le tableau. La jeune Tahitienne photographiée ci-dessous porte une robe semblable à celle de Teha'amana.

L'esprit des morts veille

Gauguin raconte dans *Noa Noa* que grâce aux récits de sa compagne il parvient à mieux connaître les religions ancestrales. La réalité est tout autre : la conversation du couple était extrêmement limitée, chacun ignorant la langue de l'autre, et de toute façon les traditions étaient oubliées. En réalité, il se documente et lit des ouvrages que lui prête un «colon» de Papeete, dont celui de J.-A. Moerenhout, écrit un demi-siècle plus tôt, *Voyages aux îles du Grand Océan*, riche en renseignements sur les anciennes religions, rites et mœurs ancestrales des Maoris. Gauguin s'en resservira pour divers manuscrits, en particulier *l'Ancien Culte mahorie*, où il recopie et résume ces légendes, et les illustre à l'aquarelle, puis *Noa Noa*, le plus célèbre, écrit à son retour à Paris. Il s'enchante des contes et légendes et s'en inspire pour plusieurs tableaux comme *le Germe des Aréois*, qui représente une déesse de Bora Bora ou *Vairumati*. Mais comme toujours, il sait mêler le réel et la fiction, ainsi qu'en témoigne *Manao tupapau* (l'Esprit des morts veille).

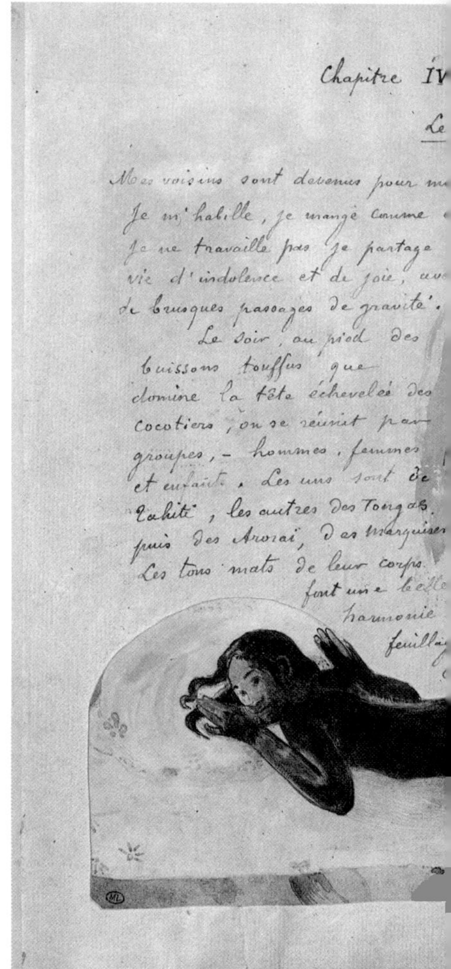
Chapitre IV
Le
Mes voisins sont devenus pour m
Je m'habille, je mange comme
Je ne travaille pas je partage
vie d'indolence et de joie, av
de brusques passages de gravité.
Le soir, au pied des
buissons touffus que
domine la tête échevelée des
cocotiers, on se réunit par
groupes, - hommes, femmes
et enfants. Les uns sont de
Tahiti, les autres des Tongas,
puis des Aroai, des Marquises
Les tons mats de leur corps
font une belle
harmonie
feuilla

L'origine du tableau est racontée dans la première version de *Noa Noa* : «Je fus un jour obligé d'aller à Papeete; j'avais promis de revenir le soir même [... mais, retardé,] il était une heure du matin quand je rentrai. N'ayant à ce moment que très peu de luminaires à la maison, ma provision devait être renouvelée. La lampe s'était éteinte et quand je rentrai, la chambre était dans l'obscurité. J'eus comme peur et surtout défiance. Sûrement l'oiseau

Cette page de *Noa Noa*, le manuscrit illustré que Gauguin conçut à son retour à Paris pour faire comprendre sa peinture tahitienne, reprend à l'aquarelle, en un dessin inversé, le modèle de *l'Esprit des morts veille*.

s'était envolé [...]. J'allumai des allumettes et je vis [...], immobile, nue, les yeux démesurément agrandis par la peur, [Teha'amana] me regardant et ne semblant pas me reconnaître.»

Et voici la vision mythifiée, transformée en œuvre d'art, en «icône» polynésienne : «Une jeune fille canaque est couchée sur le ventre, montrant une partie du visage effrayé. Elle repose sur un lit garni d'un paréo bleu et d'un drap jaune de chrome clair. Un fond violet pourpre, semé de fleurs semblables à des étincelles électriques : une figure un peu étrange se tient à côté du lit.

»Séduit par une forme, un mouvement, je les peins sans aucune autre préoccupation que de faire un morceau de nu. Tel quel, c'est une étude un peu indécente. Et cependant, j'en veux faire un tableau chaste et donnant l'esprit canaque, son caractère, sa tradition.

»Le paréo étant lié intimement à l'existence d'une Canaque, je m'en sers comme dessous-de-lit. Le drap, d'une étoffe d'écorce d'arbre, doit être jaune, parce que de cette couleur il suscite pour le spectateur quelque chose d'inattendu. Parce qu'il suggère l'éclairage d'une lampe, ce qui m'évite de faire un effet de lampe. Il me faut un fond un peu terrible ; le violet est tout indiqué. Voilà la partie musicale du tableau tout échafaudée. Dans cette position un peu hardie, que peut faire une jeune fille canaque toute nue sur un lit ? Se préparer à l'amour ! Cela est bien dans son caractère, mais c'est indécent et je ne le veux pas. Dormir ? l'action amoureuse serait terminée : ce qui est encore indécent.

Extrait du manuscrit l'*Ancien Culte mahorie*.

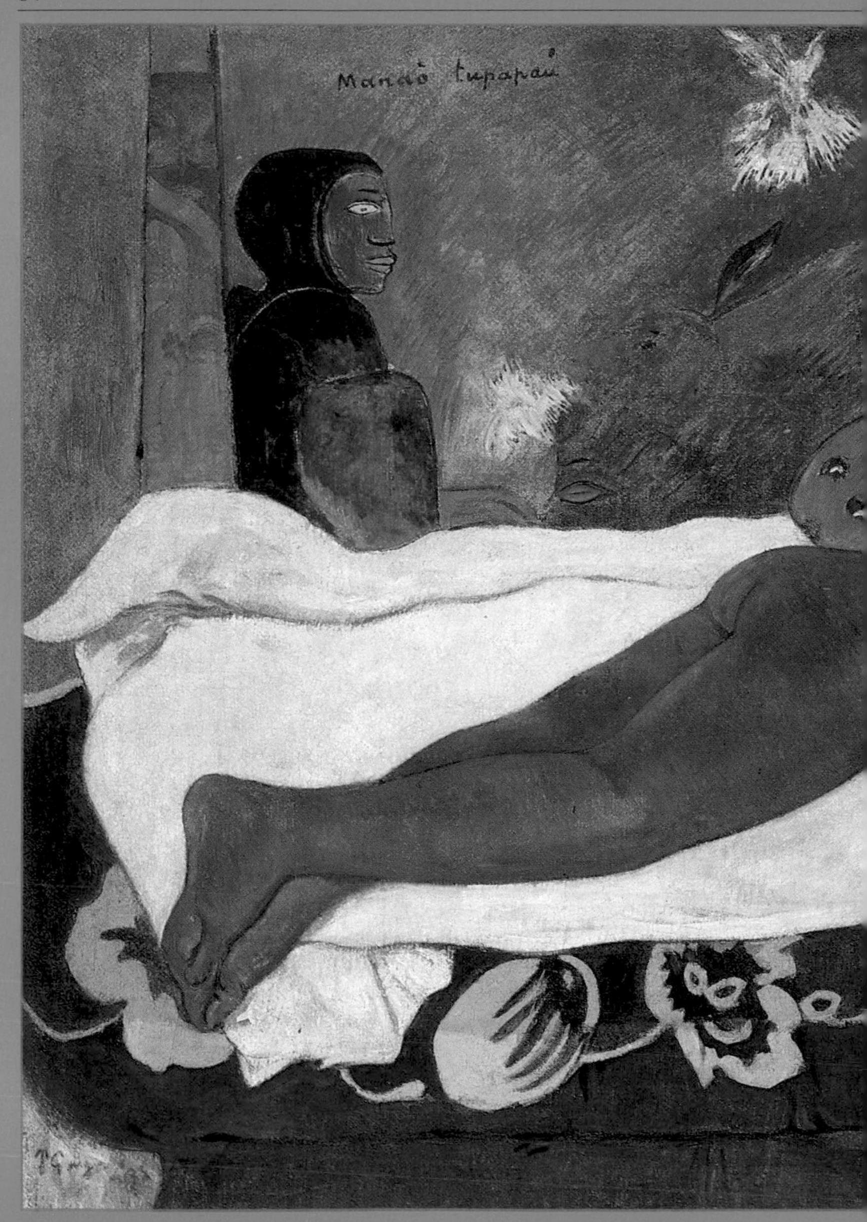
Manaò tupapaù

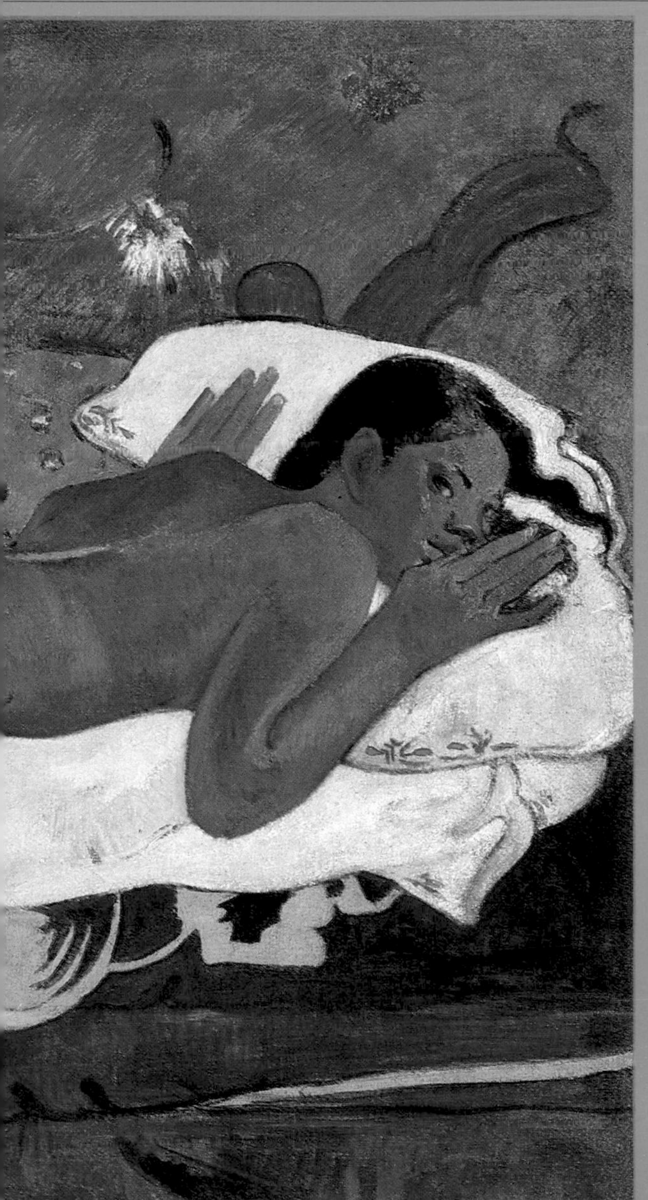

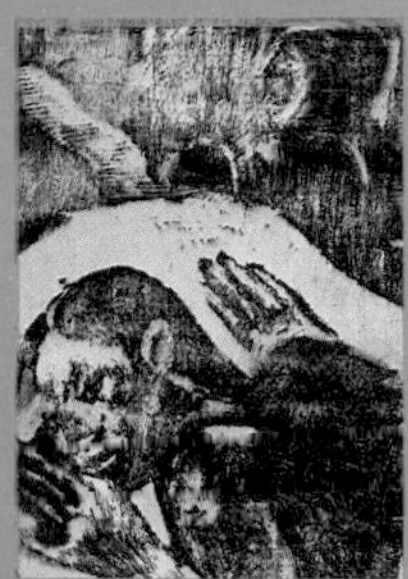

L'Esprit des morts

Une des raisons du semi-échec de l'exposition parisienne où Gauguin montrait ses tableaux de Tahiti était ces longs titres en tahitien : ici, *Manao tupapau* (L'Esprit des morts veille). En effet, dans le milieu artistique, on trouva un peu vaine et lassante cette volonté quasi ethnographique d'illustrer la mythologie locale. Pissarro, par exemple, lui reprochait de «piller les sauvages d'Océanie». Tout se passe parfois, pour Gauguin, comme s'il voulait, par souci d'être compris, trop expliciter son œuvre. Mais cet apparent folklore n'arrêtait pas les vrais amateurs de sa peinture. Degas, par exemple, était très sensible à la somptuosité exotique des tableaux de Tahiti. Ci-dessus, gravure sur bois, faite à Paris en 1894, d'après deux détails du tableau : le visage et le *tupapau*.

Lagon bucolique

Arearea (Amusements), 1892, montre une scène bucolique avec une joueuse de *vivo* – le pipeau tahitien – sous un arbre, près d'une amie attentive, au bord du lagon. Le chien rouge, au premier plan, avait particulièrement amusé ou horrifié les visiteurs de l'exposition, chez Durand-Ruel en 1893, où Gauguin montrait son travail tahitien. A l'arrière-plan, des danseuses de tamouré devant une idole maorie imaginaire.

Véronèse pur et vermillon «dito»

Dans une lettre à Monfreid, en décembre 1892, Gauguin parle de ce tableau comme de sa meilleure toile du moment : «Par extraordinaire, je lui ai mis un titre français, *Pastorales tahitiennes,* ne trouvant pas en canaque un titre correspondant. Je ne sais pourquoi, tout en mettant du vert Véronèse pur et du vermillon *dito* – mais il me semble que c'est un vieux tableau hollandais – ou une vieille tapisserie.»

Je ne vois que la peur. Quel genre de peur? Certainement pas la peur d'une Suzanne surprise par des vieillards. Cela n'existe pas en Océanie!

»Le *tupapau* (Esprit des morts) est tout indiqué. Pour les Canaques, c'est la peur constante. La nuit, une lampe est toujours allumée [...]. Le sens décoratif m'amène à parsemer le fond de fleurs. Ces fleurs sont des fleurs de *tupapau*, des phosphorescences, signe que le revenant s'occupe de vous. Croyances tahitiennes [...].

»Récapitulons. Partie musicale. Lignes horizontales ondulantes. Accords d'orangé et de bleu reliés par des jaunes et des violets, leurs dérivés. Eclairés par des étincelles verdâtres. Partie littéraire. L'esprit d'une vivante lié à l'esprit des morts. La nuit et le jour.

»Cette genèse est écrite pour ceux qui veulent toujours savoir les pourquoi et les parce que.

»Sinon, c'est tout simplement une étude de nu océanien.»

Au bout du rouleau

Malgré la superbe production de ces mois, malgré la vahiné (qui, semble-t-il, se lasse aussi), la solitude lui pèse. Il désire impatiemment rentrer, usé par les difficultés financières : il n'a plus un sou et ne reçoit rien d'Europe. Il se désespère de n'avoir rien vendu en dix-huit mois; «Il faudra à mon retour quitter la peinture» (à Monfreid). Et voilà l'homme de tous les départs qui rêve de retrouver sa famille, qui veut se faire nommer en France inspecteur de dessin dans les lycées : «Ce serait pour nous, ma chère Mette, l'assurance de nos vieux jours

Ce grand pastel est une étude pour la figure centrale *Parau na te varua ino* (Paroles du diable). Le titre, comme le geste pudique de la Tahitienne, rappelle le motif occidental de l'Eve chassée du paradis.

réunis avec nos enfants et heureux. Plus d'incertitude» (avril 1893).

Il se dit, dès mai 1892, «au bout du rouleau» et les choses ne s'arrangent pas au cours de l'été. Il en est réduit à demander au gouverneur de le faire rapatrier. Les nuages sombres semblent s'accumuler : Aurier, le jeune critique qui le soutenait, vient de mourir à vingt-sept ans. «Nous avons décidément de la déveine», commente-t-il en faisant allusion à la mort de Theo Van Gogh en 1891, qui aura été jusque-là son seul marchand.

Le bilan est pourtant positif : Gauguin a peint en moins de deux ans autour de quatre-vingts tableaux, en général de la plus haute qualité. Un des derniers semble une sorte d'adieu à «sa femme tahitienne» : *les Ancêtres de Teha'amana*. Il en fait une princesse mystérieuse malgré sa «robe mission», ces robes sages que les missionnaires encourageaient les Tahitiennes à porter plutôt que le paréo. Derrière elle, une idole maorie et des hiéroglyphes qui n'ont rien de tahitien, puisqu'il s'agit d'une écriture trouvée à l'île de Pâques, encore non déchiffrée aujourd'hui. Tout est fait pour conférer à Teha'amana une dignité énigmatique, la grandeur primitive qu'il voulait lui-même retrouver dans sa peinture.

On ne sait ce que Teha'amana ressentit – *moe moe* (du cafard) ou *haapao'ore* (de l'indifférence) – quand, ayant enfin obtenu son passage gratuit, Gauguin monte rejoindre sa cabine de troisième classe sur le *Duchaffault* le 4 juin 1893 pour rentrer en France.

Il arrive à Marseille le 30 août avec quatre francs en poche et télégraphie au fidèle Daniel de Monfreid pour avoir de quoi prendre son train pour Paris.

L'*Idole à la coquille* est l'une des «sculptures ultra-sauvages» de Gauguin. Il fait prendre à son dieu terrifiant, aux dents de cannibale, la pose en lotus du bouddha de Borobudur.

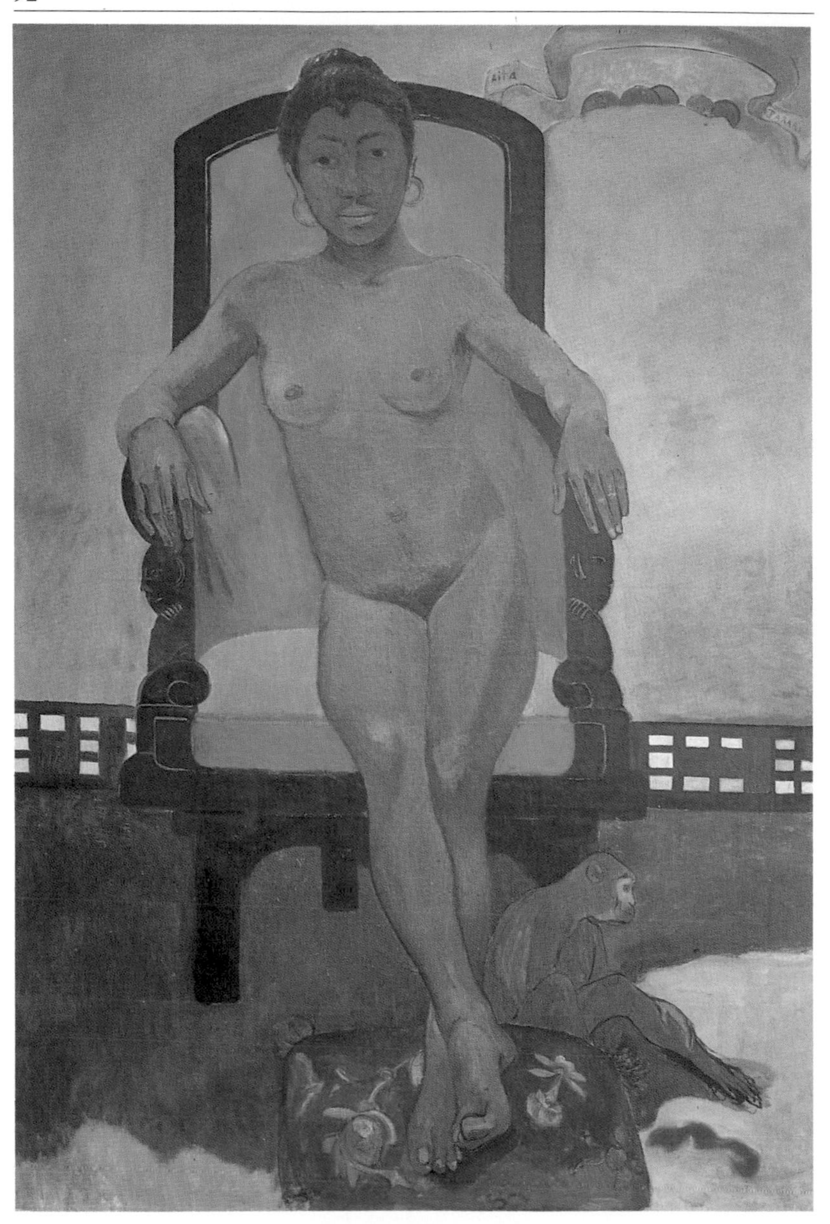
AITA

Septembre 1893. De ce retour à Paris, Gauguin attend tout : la reconnaissance de son talent, le succès financier et surtout la présence chaleureuse de ses amis. Or il se retrouve seul ou presque : Vincent et Theo Van Gogh, Albert Aurier, Meyer de Haan sont morts, Laval mourant, Mette, Monfreid et Seguin éloignés ; avec Pissarro et Emile Bernard, les relations s'étaient détériorées.

CHAPITRE V

LES TROPIQUES À MONTPARNASSE

Le portrait nu d'*Annah la Javanaise* porte en tahitien une allusion à la virginité de la petite voisine de Gauguin, fille de William Molard. Le tableau représente bien pourtant la compagne de Gauguin en 1894. Ci-contre, une des gravures sur bois pour *Noa Noa*.

Gauguin s'installe dans deux pièces rue de la Grande-Chaumière et bientôt les choses s'arrangent un peu. Alphonse Mucha lui prête son atelier, un héritage (celui de l'oncle d'Orléans) lui apporte un peu d'argent, il retrouve Daniel de Monfreid, Degas et Charles Morice. Avec eux, il prépare son exposition chez Durand-Ruel pour montrer son travail tahitien, et décide de faire un livre «pour faire comprendre sa peinture» : ce sera *Noa Noa,* que Charles Morice va malheusement un peu trop «mettre en forme». Il tente d'abord de faire un don au musée d'Art moderne de l'époque, le musée du Luxembourg, et choisit l'un des tableaux tahitiens qu'il estime le plus abouti : *Ia orana Maria*. Est-il besoin de dire qu'il se heurte à un refus?

Le 10 novembre 1893, s'ouvre à Paris, rue Laffitte, chez le marchand Durand-Ruel, la première grande exposition consacrée à Gauguin

Le peintre a fait monter sur chassis une quarantaine de toiles envoyées roulées de Tahiti, les a encadrées de blanc, de jaune, ou de bleu. «Cette exposition – raconte Rotonchamp – obtint un succès indéniable de curiosité, mais aboutit commercialement à un désastre. Le public était dérouté, moins par l'étrangeté de la technique de l'artiste que [...] par des préoccupations d'ordre littéraire et paléo-ethnographiques.»

Quant à la réaction de la communauté artistique, c'est l'ancien maître, Camille Pissarro qui la rapporte : «Gauguin a une exposition en ce moment qui fait

Ci-contre, un familier de l'atelier de l'artiste, rue Vercingétorix, le violoncelliste suédois Schneklud. Gauguin a peut-être pensé aux scènes d'orchestre de Degas, mais il choisit ici d'exalter la forme décorative et le rouge-orangé du violoncelle. Ce tableau évoque les nombreuses analogies que le peintre établit, dans ses écrits, entre la musique et la couleur.

A gauche, le poète symboliste Charles Morice, avec lequel Gauguin préparait la publication de *Noa Noa*.

l'admiration des hommes de lettres. Ils sont, paraît-il, enthousiasmés. Les amateurs, me dit-on, sont unanimes à trouver cet art exotique trop pigé (sic) aux Canaques. Il n'y a que Degas qui admire. Monet, Renoir, trouvent cela tout bonnement mauvais. J'ai vu Gauguin qui m'a fait des théories sur l'art et m'a assuré que là était le salut pour les jeunes, se retremper dans ces sources lointaines et sauvages! Je lui ai dit que cet art ne lui appartenait pas, qu'il était un civilisé [...]. Nous nous sommes quittés sans nous convaincre.»

On l'imagine sans peine!

Heureusement pour Gauguin, certains critiques, et pas seulement les poètes symbolistes, sont enthousiastes, comme Natanson

Gauguin pose ici pour le photographe dans son exposition chez Durand-Ruel. Derrière lui, *la Boudeuse*, tableau qu'acheta Degas pour sa collection.

dans la *Revue blanche*, alors la meilleure revue de l'avant-garde littéraire et artistique.

L'atelier de Montparnasse : un décor pour convaincre

Gauguin s'installe en janvier 1894 dans un atelier rue Vercingétorix, presque à l'angle de l'avenue du Maine. Il en recouvre les murs en jaune de chrome vif et en vert olive, peint les fenêtres, entre autres d'un couple tahitien en train de faire l'amour, *Te faruru*. Autant qu'une résidence ou un atelier, c'est pour lui une sorte de galerie privée, destinée à promouvoir ses œuvres, et un décor pour «présenter» ses toiles de Tahiti. En dehors des reproductions de toiles de ses peintres préférés – Cranach, Holbein, Botticelli, Puvis de Chavannes, Manet et Degas – et «des œuvres originales [de ceux] qu'il estime entre tous, Van Gogh, Cézanne et Redon que Schuffenecker et Daniel de Monfreid ont sans doute conservées pour lui pendant son absence» (Danielsson), il orne ses murs de «trophées, d'accessoires guerriers, casse-têtes, boomerangs, haches, piques, lances, le tout en bois inconnu», rapporte Rotonchamp, le futur biographe. «Sur la cheminée s'étalaient des coquillages et des échantillons de minéralogie» et il conclut : «Dans ce décor exotique qui rappelait le pied-à-terre de l'officier de marine et le «home» intermittent de l'explorateur, on se sentait loin, très loin de Paris...»

Même les autoportraits de cette époque semblent participer de cette stratégie désespérée pour se faire reconnaître, tout comme sa surprenante apparence, exaspérante pour certains, mais qui faisait partie d'une œuvre totale dont il serait lui-même un extravagant spécimen. «Il inventait tout. Il avait inventé son chevalet, une manière de préparer ses toiles, un procédé pour reproduire ses aquarelles [...]. Aussi avait-il inventé son costume bizarre, le bonnet d'astrakan, cette énorme houppelande bleu

Ces gravures sur bois font partie de la série exécutée pour *Noa Noa*. Ci-dessus, *Te faruru* (Faire l'amour); à droite, deux tirages de *Nave nave fenua* (Terre délicieuse), l'un en noir, l'autre rehaussé de couleurs.

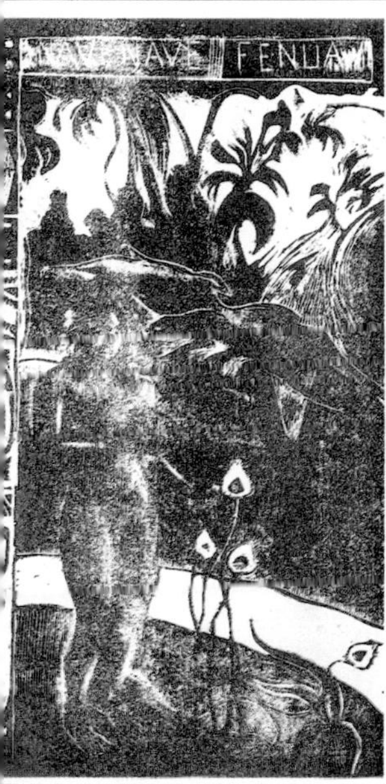

foncé que maintenaient des ciselures précieuses et sous laquelle il paraissait aux Parisiens un Magyar somptueux et gigantesque, un Rembrandt de 1635, lorsqu'il allait lentement, gravement, s'appuyant de sa main gantée de blanc, cerclée d'argent, sur la canne qu'il avait décorée» (Armand Seguin).

Témoignage photographique d'une réunion amicale et musicale dans l'atelier de Gauguin, rue Vercingétorix, en 1894. Assis au centre : Schneklud le violoncelliste; debout derrière, de gauche à droite : Sérusier – le peintre du *Talisman* –, Annah la Javanaise et Georges Lacombe, celui qui sera «le nabi sculpteur».

Annah la Javanaise

L'apparition devait être encore plus spectaculaire, lorsque Gauguin était accompagné d'Annah, dite la Javanaise, et d'un singe apprivoisé. Rencontrée sans doute par l'intermédiaire d'Ambroise Vollard, cette toute jeune métisse fut sa compagne de décembre 1893 à l'automne 1894, époque à laquelle elle l'abandonna à Pont-Aven pour revenir dévaliser son atelier.

Gauguin lui doit d'avoir peint son plus beau tableau pendant ce séjour en Europe. Il la montre, petite et râblée, assise comme une reine qui serait nue sur un trône d'inspiration sino-maorie, étrange meuble, sans doute inventé, comme la plinthe. L'harmonie stridente des couleurs, le rose du mur, le bleu du fauteuil et le jaune au sol semblent également imaginaires (le mur de l'atelier était jaune) et faits pour exalter l'insolente présence du nu exotique.

«Il est extraordinaire qu'on puisse mettre tant de mystère dans tant d'éclat»

Gauguin cite fièrement dans ses souvenirs ce mot de Mallarmé, dont il fréquentait les soirées du mardi. Un autre poète, Henri de Régnier, évoque les apparitions du peintre chez l'auteur de ce «fuir là-bas! fuir!» qui semble le leitmotiv de la vie de Gauguin plus que de celle de Mallarmé : «A côté du silence de Redon, il me semble encore réentendre la grosse voix rauque de Gauguin. Entre deux de ses voyages à Tahiti, il vint plusieurs fois aux soirées du mardi. Il asseyait lourdement son corps massif. Le torse couvert d'un tricot de matelot, le visage rude, le teint boucané, les mains énormes, il donnait une impression de force et de brutalité et faisait contraste avec l'exquise civilité et l'extrême distinction physique de Mallarmé. Gauguin ressemblait à un capitaine de caboteur, Mallarmé à quelque commandant d'un fin voilier de plaisance qui n'avait connu d'autres aventures que celles que l'on rencontre en montant ou en descendant la Seine, tandis que Gauguin avait longé les côtes lointaines que baignent les mers polynésiennes.»

Annah la Javanaise, photographie d'Alphonse Mucha vers 1898. En haut, détail du tableau de 1894, la guenon aux pieds d'Annah.

Gauguin admirait Mallarmé, dont il avait fait un superbe portrait gravé peu avant son départ pour Tahiti. Le poète ne mit pas directement sa plume au service du peintre, mais usa à plusieurs reprises de son influence dans le milieu littéraire pour faire écrire des articles en sa faveur. Quand Gauguin apprit sa mort en 1898, il écrivit d'Océanie à Monfreid : «J'en ai beaucoup de chagrin. Encore un qui est mort martyr de l'art, sa vie est au moins aussi belle que son œuvre.»

Gauguin avait fait du poète Mallarmé un portrait en janvier 1891. C'est la seule gravure à l'eau-forte jamais exécutée par l'artiste.

Gauguin vu par un poète

On a de nombreuses descriptions de Gauguin qui n'avait pas besoin de déguisement pour attirer l'attention avec son «grand visage osseux et massif au front étroit, au nez [...] non pas busqué, mais comme cassé, avec une bouche aux lèvres minces et sans inflexion, avec des yeux un peu saillants dont les prunelles bleuâtres circulaient dans leurs orbites pour regarder à gauche ou à droite, sans que le buste et la tête, presque, prissent la peine de se déplacer».

Charles Morice le décrit aussi comme «ayant peu de charme [...]; pourtant il

attirait par une très personnelle expression mêlée de noblesse hautaine, évidemment native et d'une simplicité qui confinait à la trivialité ; on s'apercevait vite que ce mélange signifiait la force : l'aristocratie se retrempait dans le peuple. Et, si la grâce manquait, le sourire, qui pourtant convenait mal à ces lèvres aux lignes trop droites, trop minces – en se détendant, elles semblaient regretter et démentir comme une faiblesse, l'aveu de la gaîté – le sourire de Gauguin n'en avait pas moins une douceur étrangement ingénue. Surtout, cette tête devenait vraiment belle dans la gravité, quand elle s'éclairait, cédant à l'ardeur de la discussion. »

Dans l'*Autoportrait au chapeau*, à gauche, Gauguin se peint dans son atelier, devant son tableau fétiche *Manao tupapau*. On aperçoit le fond jaune qu'il avait fait peindre et les tissus tahitiens sur un canapé. Au verso, il a peint son ami le musicien William Molard.

Ci-dessus, à droite, photographie du peintre avec son fameux bonnet d'astrakan ; à gauche, l'*Autoportrait à la palette*, fait d'après cette photo. Il l'avait dédicacé et donné à Charles Morice, son grand défenseur dans la presse symboliste.

«Noa Noa», un livre et des gravures

Deux des principales activités de Gauguin à Paris furent de mettre au net des notes prises à Tahiti, qui deviendront *Ancien Culte mahorie* et *Noa Noa*, deux superbes manuscrits illustrés, et d'exécuter un grand nombre de gravures sur bois et de monotypes plus ou moins inspirés par ses tableaux tahitiens. Le double travail d'écrivain et d'artiste est sous-tendu par l'idée obsédante du peintre à cette époque : expliquer et diffuser son œuvre tahitienne qu'il désespère de faire comprendre et aimer. On lui doit ainsi les superbes tirages sur les thèmes édéniques dont les titres mêmes annoncent la saveur «primitiviste» : *Auti te pape* (Jouant dans l'eau douce), *Noa Noa* (Odorant), *Te faruru* (Faire l'amour), *Nave nave fenua* (Terre délicieuse), *Pape moe* (Eau mystérieuse), *Oviri* (Sauvage). Il aime inventer de nouveaux procédés et, s'inspirant de la tradition du monotype, déjà reprise par Degas, ou du frottage, il fait des aquarelles-monotypes, des dessins-empreintes; bref, il crée toute une série d'objets sur papier à la fois «primitifs» et raffinés, à mi-chemin entre le dessin et la gravure.

«J'affirme orgueilleusement que personne n'a encore fait cela», écrit Gauguin, à propos de la sculpture de grès *Oviri* (à droite).

Oviri, «étrange figure, cruelle énigme»

Gauguin aimait depuis longtemps – dès la Bretagne – se parer du titre de «sauvage». En 1894, il se remet à la céramique et exécute sa plus étonnante «sculpture céramique» – selon ses propres termes – *Oviri,* qui signifie «sauvage» en tahitien. Il s'agit d'une grande figure en grès cérame représentant une femme au visage halluciné et à la longue chevelure, étreignant un loup sanglant contre sa jambe. Gauguin en parle ensuite aussi dans sa correspondance sous le nom de *la Tueuse;* il y tenait tant qu'il souhaitait qu'elle soit posée sur sa tombe aux îles Marquises «et avant cela, [qu'elle fasse] l'ornement de [son] jardin». Cette mystérieuse personne, «étrange figure, cruelle énigme» comme il la nomme sous sa forme gravée quand il la dédicace à Mallarmé, correspond à un moment particulièrement douloureux et désespéré de sa vie, puisqu'il la fabrique quand il décide de repartir sans espoir d'être compris, comme s'il trouvait dans l'enfoncement, dans la sauvagerie et l'idée de mort que cet objet exprime, une ultime raison de créer.

Ci-dessus, un exemplaire de la gravure sur bois, reprenant *Oviri*, dédicacé : «A Stéphane Mallarmé, cette étrange figure, cruelle énigme.»

Il n'est pas indifférent de savoir que cette sculpture violente, mystérieuse et «primitive», montrée à la rétrospective Gauguin au Salon d'automne en 1906, impressionna beaucoup les jeunes artistes. Parmi eux, Pablo Picasso, qui s'en inspira sans doute pour une des figures des *Demoiselles d'Avignon.*

«Finir mes jours sans l'éternelle lutte contre les imbéciles...»

Malgré tous ses efforts, Gauguin, au bout d'une année en Europe, a le sentiment d'un profond échec. Il semble, en effet, que les difficultés s'accumulent. Il retourne l'été 1894 à Pont-Aven, essaie de récupérer ses œuvres laissées, avant son départ pour Tahiti, chez Marie Henry au Pouldu; laquelle refuse de les lui rendre, les tenant comme acquises en échange de son hospitalité. Il lui fait un procès qu'il perd. Une rixe dans le port de Concarneau, causée par des marins bousculant Annah et son singe, lui vaut une fracture qui se guérit fort mal, l'immobilise, l'oblige à se droguer pour ne pas souffrir et l'empêche de travailler pendant quatre mois. Enfin, la vente de ses œuvres à l'hôtel Drouot, qu'il organise pour pouvoir repartir, est un cuisant échec : seul Degas et ses amis achètent. Et son ultime visite à Mette et aux enfants à Copenhague lui fait sentir qu'il a perdu la partie, là aussi. Une lettre à Monfreid (automne 1894) annonçait déjà la décision de quitter pour toujours la France : «J'ai perdu tout courage à force de souffrir, surtout la nuit que je passe sans aucun sommeil [...]. Du reste, j'ai pris une résolution fixe, celle de m'en aller pour toujours en Océanie. Je rentrerai à Paris en décembre pour m'occuper exclusivement de vendre tout mon bazar à n'importe quel prix. Si je réussis, je pars aussitôt [...], je pourrai alors finir mes jours, libre et tranquille, sans l'éternelle lutte contre les imbéciles [...] Adieu peinture, si ce n'est comme distraction; ma maison sera en bois sculpté.»

Gare de Lyon, 28 juin 1895. Selon des témoins, Gauguin est en larmes. Il part pour son ultime séjour en Océanie. Désespéré, alcoolique, malade, seul, il atteint alors à une véritable grandeur qu'aucune vanité, aucune rodomontade, aucun calcul ne viennent désormais plus ternir.

CHAPITRE VI

UN DERNIER FEU D'ENTHOUSIASME

Le Cheval blanc – plus vert que blanc –, avec des cavaliers tahitiens vus à travers les branches, est assez représentatif des œuvres du deuxième séjour tahitien, où Gauguin se plaît à peindre des personnages intimement liés à la nature luxuriante.

Gauguin arrive à Papeete début septembre 1895. Les deux mois de voyage ont été ponctués d'une escale à Port-Saïd – trop courte pour lui permettre de visiter les vestiges de l'art égyptien qu'il admire, mais où il fait provision de cartes postales obscènes qui orneront sa case aux îles Marquises, à la joie ou à l'indignation de ses voisins ! – et d'une autre, plus conséquente, à Auckland en Nouvelle-Zélande. Il y étudie longuement les collections d'art maori du musée d'Ethnologie océanienne qui vient précisément d'ouvrir.

Les collections d'art océanien, au musée d'Auckland, à l'époque où Gauguin le visite.

Tahiti, paradis ou hôpital ?

Les premiers mois sont particulièrement amers : Tahiti, de plus en plus occidentalisée, le déçoit ; il envisage très vite de repartir vers plus de sauvagerie et songe déjà alors aux îles Marquises. Mais c'est désormais un homme malade ; la litanie de ses longs séjours à l'hôpital de Papeete, entre son arrivée et son départ pour les Marquises, est impressionnante : juillet 1896, janvier 1897, décembre 1897, septembre 1898, décembre 1900, février-mars 1901 ; sans parler des soins réguliers entre ces hospitalisations. Tout semble s'accumuler : les suites de sa fracture ouverte de la jambe à Concarneau, des séquelles de la syphilis, des malaises cardiaques, sans doute l'abus d'alcool, et des éruptions cutanées – qui provoquent la fuite de Teha'amana qu'il a voulu reprendre près de lui – et le font, à tort, passer pour lépreux.

Aline, la seule fille de Gauguin, était son enfant préféré. Pour elle, il avait écrit des notes intimes, *Cahier pour Aline*. Elle mourut d'une pneumonie, à l'âge de vingt ans, à Copenhague. La nouvelle de cette mort contribua à la grave dépression de Gauguin, l'hiver 1897-1898.

Une nouvelle vahiné de quatorze ans, Pahura, de nouveaux amis parmi les Français de Tahiti, n'empêchent pas sa solitude de s'accroître. Il doit se rendre à l'évidence ; malgré ses espoirs, aucun de ses amis et «élèves» de Pont-Aven – Seguin et

Peu après la mort de Gauguin, Victor Segalen visite son atelier des Marquises; parmi les tableaux se trouve l'*Autoportrait près du Golgotha*, peint l'été 1896, qu'il décrit ainsi : « Œuvre très poussée, portrait de lui même où, sur un lointain de calvaire deviné, se dresse un torse puissant : l'encolure est forte, la lèvre abaissée, les paupières alourdies. »

O'Connor l'avaient sérieusement envisagé – ne le rejoindra. Le voilà bientôt gravement déprimé, avec le sentiment que son dernier séjour à Paris, tout compte fait, se solde par un échec : « A quoi suis-je arrivé ? à une défaite complète. Des ennemis et c'est tout, la guigne me poursuivant sans trêve [...] plus je vais, plus je descends ; [...] beaucoup de gens trouvent toujours protection parce qu'on les sait faibles et qu'ils savent demander. Jamais personne ne m'a protégé parce qu'on me croit fort et que j'ai été trop fier ; [...] je ne suis rien, sinon un raté » (à Monfreid, avril 1896).

« L'énigme réfugiée au fond de leurs yeux »

Et pourtant, dans cette même lettre désespérée, il parle d'un tableau : *Te arii vahine* (la Femme royale) qu'il juge « encore meilleur que tout

auparavant». Il y transpose deux tableaux célèbres, une *Diane au repos* de Cranach, dont il a une photographie et qui lui inspire la posture et le placement dans un paysage avec un arbre analogue, et puis, bien sûr, l'*Olympia* de Manet qu'il avait copiée à Paris lorsqu'elle était entrée au musée du Luxembourg en 1891. Mais il compose, à partir de ces nus occidentaux, une grande effigie océanienne, une reine native qu'un fin rideau de feuillage sépare du lagon. Le serpent, enroulé autour du tronc de l'arbre, indique les intentions de Gauguin : peindre

Te arii vahine. «Je viens de faire une grande toile de 1,39m sur 1m [...] : une reine nue, couchée sur un tapis vert [...]. Je crois qu'en couleur je n'ai jamais fait une chose d'une aussi grande sonorité grave.»

A Monfreid, av:il 1896

une Eve, mais sans notion de péché originel : «Elle est bien subtile, très savante dans sa naïveté, l'Eve tahitienne. L'énigme réfugiée au fond de leurs yeux d'enfant me reste incommunicable.»

Et c'est, paradoxalement, au cours de ces années de détresse physique et morale (1896-1899) que Gauguin va peindre ses plus grandes, ses plus édéniques compositions. Elles représentent toutes des figures groupées, debout, portant des fruits ou en cueillant, l'air songeur, ou bien arrêtées dans un mouvement de prière ou d'offrande, ou encore à cheval s'enfonçant à travers des branches ; tous ces personnages sont plongés dans une luxuriante végétation tropicale.

Les titres sont éloquents, qu'il s'agisse de *Nave nave mahana* (Jours délicieux), de *Faa iheihe* (Pastorale tahitienne), du *Cheval blanc* ou de *Rupe Rupe* (la Cueillette des fruits). «C'est bien la vie de plein air, dit Gauguin, mais cependant intime, dans les fourrés, les ruisseaux oubliés, les femmes chuchotant dans un immense palais décoré par la nature elle-même, avec toutes les richesses que Tahiti renferme. De là, toutes ces couleurs fabuleuses, cet air embrasé mais tamisé, silencieux.»

L'un des rares portraits de commande que fit Gauguin dans la communauté coloniale de Tahiti est celui de Jeanne, dite *Vaïte Goupil*, la plus jeune fille d'un riche notaire de Papeete.

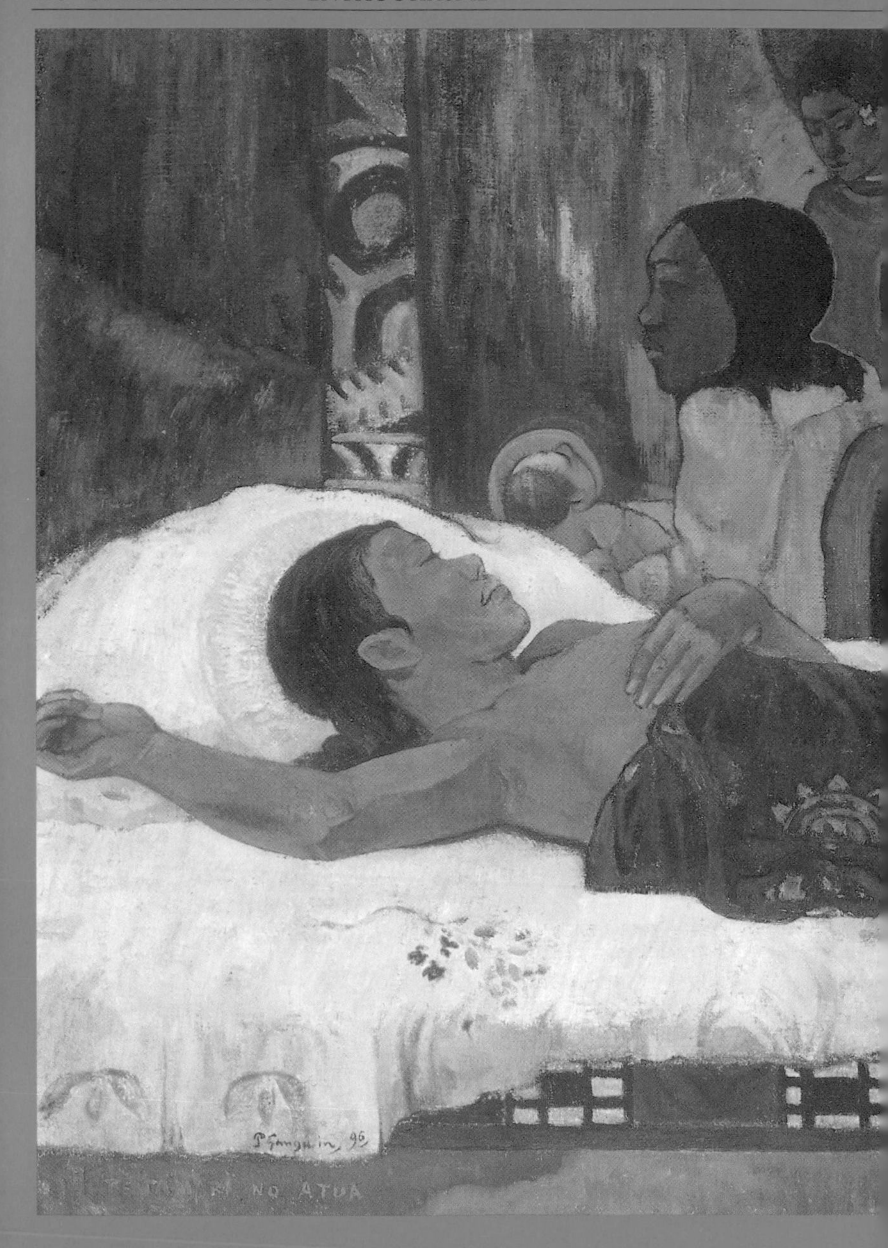
P Gauguin 96
NO ATUA

Te tamari no Atua (Naissance du fils de Dieu, 1896), représente Pahura, la jeune vahiné de Gauguin à l'époque. Elle venait de mettre au monde une petite fille, qui devait mourir peu après. Plus qu'une accouchée, la scène montre peut-être la jeune Tahitienne prostrée, tandis qu'un *tupapau*, génie funèbre, (le même que dans *l'Esprit des morts veille*) tient le bébé qu'il va emporter.

«D'où venons-nous ? Que sommes-nous ? Où allons-nous ?»

Tahiti est un paradis terrestre pictural et imaginaire, même si la splendeur de la nature et de ses habitants est une réalité. Car Gauguin est si désespéré en décembre 1897 qu'il envisage, semble-t-il, de se suicider, mais pas avant d'avoir fait son «testament» pictural. Ce sera le plus célèbre des tableaux de cette série de «frises édéniques» et le plus ambitieux qu'il ait jamais peint (4,50 m de long). Il veut évidemment s'inscrire ici dans la lignée des grands «décorateurs de murailles» dont il admire tant les œuvres, de la Renaissance à Puvis de Chavannes. Dans une lettre à son ami Monfreid, il raconte les circonstances de l'élaboration de *D'où venons-nous ? Que sommes-nous ? Où allons-nous ?* : «Il faut vous dire que ma résolution [de suicide] était bien prise pour le mois de décembre. Alors j'ai voulu, avant de mourir, peindre une grande toile que j'avais en tête et, durant tout le mois, j'ai travaillé jour et nuit dans une fièvre inouïe [...]. L'aspect en est terriblement fruste [...]. On dira que c'est lâché, pas fini. Il est vrai qu'on ne se juge pas bien soi-même mais cependant je crois que non seulement cette toile dépasse en valeur toutes les précédentes mais encore que je n'en ferai jamais une meilleure ni une semblable. J'y ai mis là, avant de mourir, toute mon énergie, une telle passion douloureuse dans des circonstances terribles et une vision tellement nette, sans corrections, que le hâtif disparaît et que la vie surgit [...]. Les deux coins du haut sont jaune de chrome avec l'inscription à gauche et ma signature à droite, telle une fresque abîmée aux coins et appliquée sur un mur or.» Puis, il décrit toute la scène qui symbolise les diverses étapes et interrogations de la destinée humaine pour conclure : «Je crois que c'est bien.»

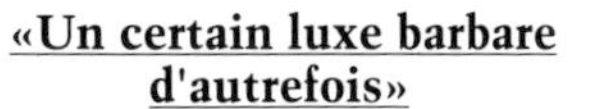

«Un certain luxe barbare d'autrefois»

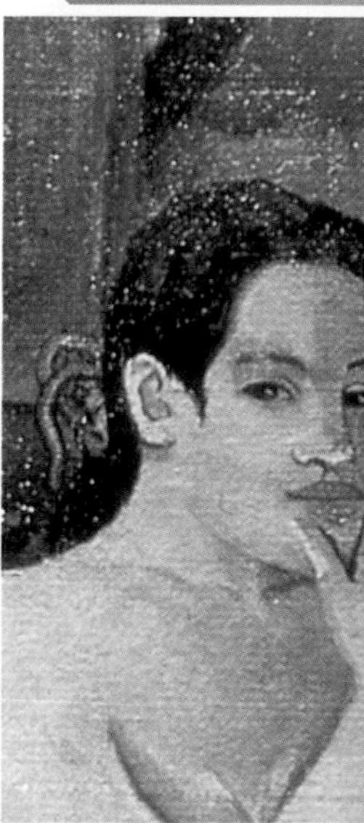

Gauguin peint également à cette époque un de ses nus

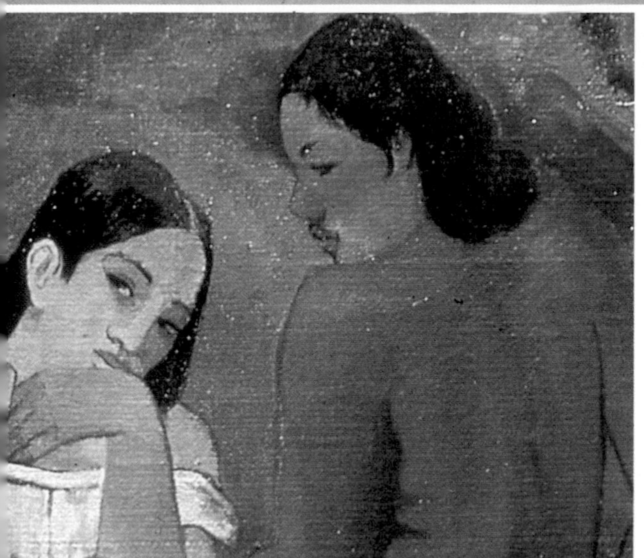

Esquisse et mise au carreau sur papier calque rehaussé d'aquarelle, pour *D'où venons-nous? Que sommes-nous? Où allons-nous?* Ci-contre, détail du tableau définitif (voir le dépliant final) montrant les deux femmes accroupies, songeuses, en bas et à droite de la composition.

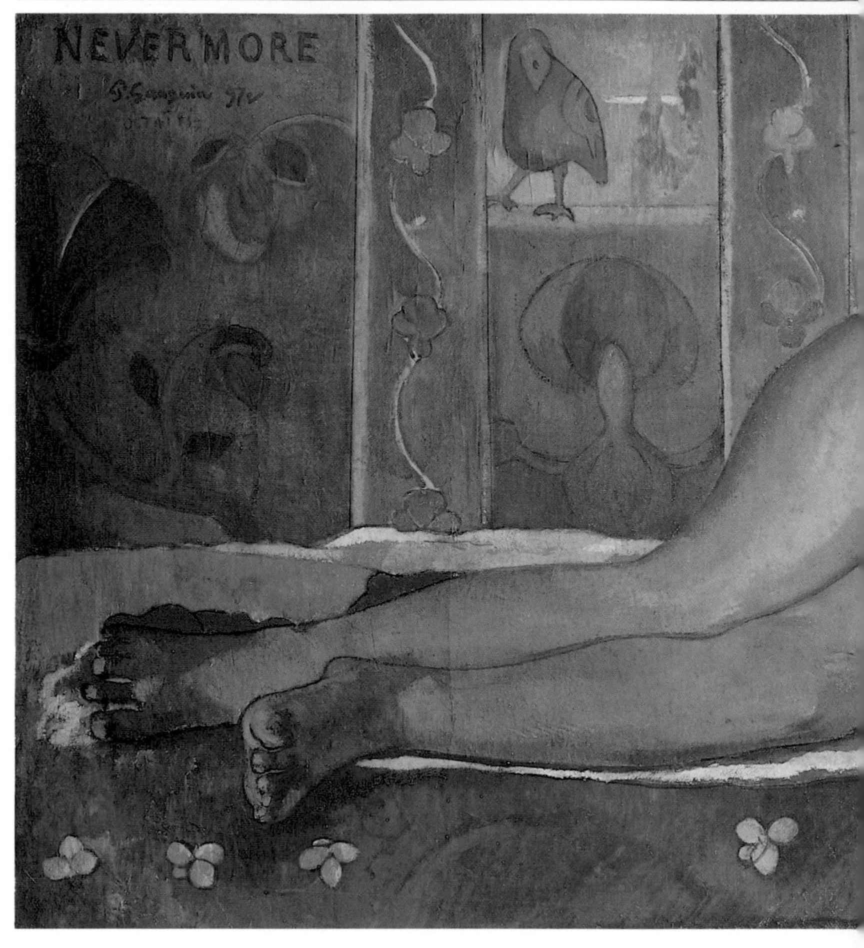

les plus classiques et les plus puissants, où il rejoint ceux qu'il estime ses maîtres, Ingres et Manet. *Nevermore* (Jamais plus) peut s'entendre comme une allusion au poème d'Edgar Poe qu'il connaissait par la traduction de Mallarmé ou bien comme un résumé nostalgique de sa vie d'alors. Ce tableau illustre une beauté incarnant le rêve primitif qu'il n'a jamais vraiment rejoint ; ce corps représente une vie qu'il sent lui échapper.

« Pour titre *Nevermore*, non point le corbeau d'Edgar Poe, mais l'oiseau du diable qui est aux aguets. C'est mal peint [...], n'importe je crois que c'est une bonne toile. »

A Monfreid,
14 février 1897

«Je tâche de finir une toile pour l'envoyer avec les autres, écrit-il à Monfreid, mais aurai-je le temps ? [...] Je crois que c'est une bonne chose. J'ai voulu avec un simple nu suggérer un certain luxe barbare d'autrefois. Le tout est noyé dans des couleurs volontairement sombres et tristes; ce n'est ni la soie, ni le velours, ni la baptiste, ni l'or qui forme ce luxe, mais purement la matière devenue riche par la main de l'artiste.»

Gauguin fait avec *Nevermore* un grand nu classique, qui inscrit son modèle tahitien dans la lignée des œuvres qu'il admirait tant: *les Grandes Odalisques* d'Ingres ou l'*Olympia* de Manet.

«Autrefois, odeur de joie, que je respire dans le présent»

La majesté de ce nu, l'ampleur de ses grandes compositions, la splendeur étouffante des paysages peints à cette époque, comme *le Cheval blanc*, répondent en peinture à ce qu'il exprimait en même temps dans ses lettres avec un véritable talent littéraire marqué par ses contemporains symbolistes : «Ici, près de ma case, en plein silence, je rêve à des harmonies violentes dont les parfums naturels me grisent. Délice relevé de je ne sais quelle horreur sacrée que je devine dans le présent. Figures animales d'une rigidité statuaire : je ne sais quoi d'ancien, d'auguste, de religieux dans le rythme de leur geste, dans leur immobilité rare.» Et encore : «J'ai la sensation de la marche dolente de mes espérances...»(à Fontainas, mars 1899).

Ci-dessous, un exemplaire (orné du dessin d'un singe perché sur un cochon) du journal que Gauguin écrivait et illustrait à la fois : *les Guêpes*. Sur la page de droite, en bas, un monotype pour la couverture du manuscrit *l'Esprit moderne et le catholicisme*, réflexion sur la dégradation de l'esprit évangélique des origines et pamphlet contre l'Eglise contemporaine.

Gauguin, journaliste polémique

Les Guêpes

Dans les années 1899-1900, Gauguin, souffrant et démuni, travaille très peu. «Très malade et obligé, pour trouver un peu de pain, de faire quelques travaux peu intellectuels, je ne peins plus, sauf le dimanche et les jours de fêtes» écrit-il à Paris au jeune Maurice Denis, un de ses admirateurs qui lui demande d'exposer avec le groupe nabi. Il est particulièrement amer quand il apprend que Vollard a vendu un ensemble de toiles qu'il lui avait fait parvenir, constitué par le grand *D'où venons-nous...* plus huit tableaux, pour 1000 francs seulement, une somme dérisoire.

Il effectue divers petits travaux pour survivre et s'adonne avec une sorte de passion au journalisme local : collaborateur, puis rédacteur en chef d'une feuille polémique, *les Guêpes*, il en imagine et illustre lui-même une autre un certain temps, *le Sourire*. Son propos est assez ambigu : certains extraits

pourraient l'inscrire dans la lignée des polémistes libertaires, mais il défend surtout les intérêts du clan catholique local et ceux des «petits Blancs» contre le «lobby» des commerçants chinois de Tahiti. Il fait même le 23 septembre 1900 un discours mémorable au nom du parti catholique, évoquant «cette tache jaune souillant notre pavillon national» avec une virulence qui met un peu mal à l'aise, si l'on veut faire de Gauguin un héros de l'anticolonialisme et de l'œcuménisme culturel – ce qu'il est également, on le verra bientôt aux Marquises. Mais Gauguin, on l'a souvent vu, est un homme complexe, contradictoire : moderne et classique; bohème et fier, mais avide de reconnaissance; aimant le «primitif» mais jusqu'à un certain point; à la fois sauvage et parisien. Bref partout exilé.

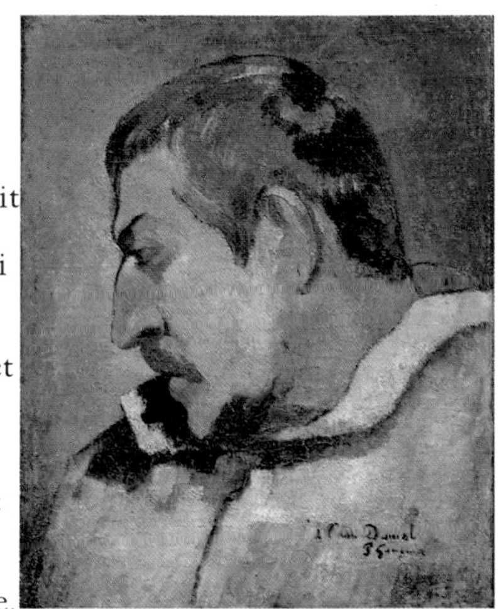

Autoportrait dédicacé à Daniel de Monfreid.

Nouveau départ : «Le public commençait à trop s'habituer à Tahiti»

C'est de Paris que lui viennent les moyens de pouvoir peindre à nouveau et de quitter Tahiti et une vie politique locale où il perd son temps : Vollard lui propose enfin un arrangement qu'il souhaitait depuis dix ans : une mensualité, trois cents francs, contre sa production.

Gauguin peut enfin envisager un nouveau départ : «Avec des éléments tout à fait nouveaux et sauvages, je vais faire de belles choses. Ici, mon imagination commençait à se refroidir, puis aussi le public à trop s'habituer à Tahiti désormais "compréhensible et charmant". Mes toiles de Bretagne sont devenues de

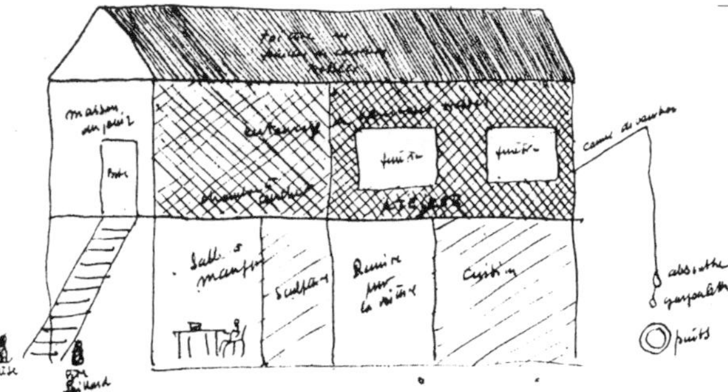

La maison de Gauguin aux îles Marquises, d'après un croquis fait par un voisin.

l'eau de rose à cause de Tahiti ; Tahiti deviendra de l'eau de Cologne à cause des Marquises.» La sauvagerie lui apparaît comme une jouvence : «Je suis à terre aujourd'hui, vaincu par la misère et surtout la maladie d'une vieillesse tout à fait prématurée. Aurai-je quelque répit pour terminer mon œuvre ? [...] En tout cas, je fais un dernier effort en allant le mois prochain m'installer à Fatu-iva, île des Marquises presque encore anthropophage. Je crois que là, cet élément tout à fait sauvage, cette solitude complète me donnera avant de mourir un dernier feu d'enthousiasme qui rajeunira mon imagination et fera la conclusion de mon talent.»

Les Marquises : Hiva Hoa

En réalité, Gauguin s'installera à Atuona, dans l'île de Hiva Hoa (alors appelée La Dominique), «certainement l'endroit le plus civilisé de l'archipel des Marquises» selon Danielsson. Le premier contact avec l'île a de quoi surprendre : Gauguin reçoit à son arrivée, le 16 septembre 1901, un accueil triomphal des «petits Blancs» qui voient en

lui un de leurs défenseurs contre l'administration centrale qu'il ne cessait de piquer autant que les Chinois dans *les Guêpes*.

Pourtant, c'est, malgré tout, une ultime plongée dans une vie semi-native et un isolement productif. Il prend femme – une toute jeune fille – et construit une case confortable : ce sera la fameuse «Maison

Les panneaux sculptés de la «Maison du Jouir» entouraient la porte d'entrée qui donnait directement sur la chambre, en haut de l'escalier. Ces reliefs polychromes reprennent plusieurs motifs déja traités par Gauguin; ainsi, sur la plinthe du bas, *Soyez mystérieuses* et *Soyez heureuses*, reprises de sculptures faites en Bretagne plus de dix ans plus tôt.

du Jouir», ainsi qu'il l'écrit sur l'un des linteaux sculptés de sa porte, à la fois comme programme de vie et pour provoquer les missionnaires catholiques qui tentent de l'empêcher de «débaucher» de jeunes écolières. Dans ces dix-huit mois qui lui restent à vivre, il écrit, peint, dessine et sculpte avec une relative abondance compte tenu de son état de santé et du temps consacré aux affaires locales. Lors d'un procès, il prend parti pour un groupe de Marquisiens contre l'administration et passe beaucoup de temps en querelles contre les religieux de la mission catholique. De l'année 1902 datent les superbes derniers tableaux brossés rapidement, plus simplifiés qu'à Tahiti et généralement dépourvus de toute allégorie primitiviste, titres maoris ou autre chichi folklorique : *la Jeune Fille à l'éventail* , *les Cavaliers sur la plage*,

Le peintre des Marquises

Les Cavaliers (ou *le Gué*), peints en 1901, reprennent sans doute un thème emprunté à une gravure de Dürer, *le Chevalier, la Mort et le Diable*, dont Gauguin avait collé une reproduction au dos de son manuscrit *Avant et Après*. Faut-il identifier le premier cavalier encapuchonné de rose comme un *tupapau* ? En tout cas, la scène est mystérieuse et superbe, avec le sombre passage de gué devant un rideau de branches qui laisse apparaître une mer et une plage éclatantes.

Des champs de course aux tropiques

Les *Cavaliers sur la plage* (1902) semblent être ceux du tableau précédent, qui auraient traversé le gué et la sombre végétation pour aller galoper dans la couleur et la lumière, sur le sable rose, devant les rouleaux de l'océan. La scène, même transportée aux tropiques, rappelle la série des *Champs de course* de Degas, dont le souvenir marque encore Gauguin.

La nature morte des *Tournesols* (ci-contre) a été peinte en 1901, peu avant que Gauguin ne quitte Tahiti. Il avait demandé deux ans plus tôt à Daniel de Monfreid de lui envoyer des graines à planter dans son jardin, dont des tournesols, inconnus à Tahiti; serait-ce un souvenir de Vincent?

l'Or de leur corps, *l'Appel* ou *le Gué* : autant de chefs-d'œuvre de simplicité formelle et d'énergie colorée, justifiant ces propos enthousiastes : «Ici, la poésie se dégage toute seule et il suffit de se laisser aller au rêve en peignant pour la suggérer.»

«Nous avons créé la liberté des arts plastiques»

Gauguin ne se doute pas qu'il lui reste si peu à vivre, mais il fait pourtant le bilan de son œuvre dans divers écrits ou lettres de la dernière année de son existence : «Je sens qu'en art j'ai eu raison [...] et si mes œuvres ne restent pas, il restera toujours le souvenir d'un artiste qui a libéré la peinture» et : «Je suis un sauvage. Et les civilisés le pressentent : car dans mes œuvres, il n'y a rien qui surprenne, déroute, si ce n'est ce "malgré moi de sauvage", c'est pourquoi c'est inimitable.»

Pourtant, peu avant de mourir (d'une crise cardiaque semble-t-il) le 8 mai 1903, il avait, chimérique jusqu'au bout, rêvé de retourner en Europe, de s'y soigner et de s'y ressourcer de nouveau : c'est en Espagne qu'il projetait de retrouver un nouvel exotisme archaïque. Il est tentant d'imaginer ce qu'aurait été,

Tohotaua, une belle Marquisienne rousse, est le modèle de *la Jeune Fille à l'éventail* (1902). On la voit aussi sur la photo ci-dessous, posant pour Gauguin.

à Cadaquès, l'été qui précède les *Demoiselles d'Avignon*, la rencontre entre le vieux Gauguin et le jeune Picasso...

Un mois avant sa mort, il écrit à Morice ces mots fiers et déchirants : «Il ne faut pas conseiller à tout le monde la solitude, car il faut être de force pour la supporter et agir seul.» Les textes qu'il rédige à cette époque (*Avant et Après* et *Racontars de rapin*) nous renvoient l'image d'un homme seul dont la gouaille provocante et les ratiocinations de vieux «hippie» un peu alcoolique et très trousseur de chair fraîche ne cachent ni le courage – «J'ai voulu vouloir» – sous le désespoir, ni la confiance absolue dans l'art.

Il atteint à une véritable grandeur dans son exil volontaire, son ultime dépouillement, et l'histoire donne raison à ces «bouteilles à la mer» dans l'espace et le temps que furent ses derniers écrits du Pacifique. Si l'on pense à son influence sur Bonnard, Matisse ou Picasso, il n'avait pas tort d'écrire que les jeunes peintres lui «doivent quelque chose».

Son dernier texte, *Racontars de rapin*, inscrit sa propre destinée artistique et celle des peintres contemporains qu'il estime, dans l'histoire de la modernité. Et notre héros de l'exil sauvage quitte la scène sur ces mots de fierté patriotique : «Voilà, il me semble, de quoi nous consoler de deux provinces perdues, car avec cela nous avons conquis toute l'Europe et, surtout en ces derniers temps, créé la liberté des arts plastiques.

Il me reste à vous saluer.
Paul Gauguin.»

Contes barbares (1902) peut être un résumé des mythologies chères à Gauguin : maories, asiatiques et judéo-chrétiennes, mais c'est aussi un de ses derniers beaux nus océaniens. En bas, autoportrait, instantané du dernier Gauguin, presbyte, malade et très émouvant.

D'*où venons-nous? Que sommes-nous? Où allons-nous?*, le plus grand et le plus célèbre tableau de Gauguin, avait été fait selon lui «du bout de la brosse sur une toile à sac pleine de nœuds et rugosités, aussi l'aspect en est terriblement fruste.»

TÉMOIGNAGES ET DOCUMENTS

Gauguin à travers ses écrits
Gauguin vu par ses proches et ses critiques
Gauguin et ses humeurs

Gauguin à travers sa correspondance

Un choix parmi les lettres les plus significatives ou émouvantes de Gauguin à sa femme et à ses amis. On s'apercevra à la lecture de cette correspondance, comme de tous ses autres écrits, intimes ou destinés à la publication, que Gauguin possédait aussi un grand talent littéraire.

À ÉMILE SCHUFFENECKER

[Copenhague] *le 14 janvier 1885,*

Mon cher Schuffenecker,

J'ai reçu une lettre de Guillaumin, il paraît que vous aviez désiré un de ses tableaux à l'exposition et qu'il était déjà retenu. Pourquoi n'allez-vous pas chez lui en choisir un autre, je crois que cela vous fera du bien d'en avoir un spécimen chez vous, en même temps que je désire la vente pour ce pauvre artiste rempli de talent.

Quant à moi il me semble par moment que je suis fou et cependant plus je réfléchis le soir dans mon lit plus je crois avoir raison. Depuis longtemps les philosophes raisonnent les phénomènes qui nous paraissent surnaturels et dont on a cependant la *sensation*. Tout est là, dans ce mot. Les Raphaël et autres, des gens chez qui la sensation était formulée bien avant la pensée, ce qui leur a permis, tout en étudiant, de ne jamais détruire cette sensation, et rester des artistes. Et pour moi le grand artiste est la formule de la plus grande intelligence, à lui arrivent les sentiments, les traductions les plus délicates et par suite les plus invisibles du cerveau.

Observez dans l'immense création de la nature et vous verrez s'il n'y a pas des lois pour créer avec des aspects tout différents et cependant semblables dans leur effet tous les sentiments humains. Voyez une grosse araignée, dans une forêt un tronc d'arbre, tous deux sans vous en rendre compte vous produisent une sensation terrible. Pourquoi avez-vous le dégoût de toucher un rat et beaucoup d'autres choses semblables : il n'y a pas de raisonnement qui tient devant ces sentiments. Tous nos cinq sens arrivent *directement au cerveau* impressionnés par une infinité de choses et qu'aucune éducation ne peut détruire. J'en conclus qu'il y a des lignes nobles, menteuses, etc. La ligne droite donne l'infini, la courbe limite la création, sans compter la fatalité dans les nombres. Les chiffres 3 et 7 ont-ils été assez discutés ? Les couleurs sont encore plus explicatives quoique moins multiples que les lignes par suite de leur puissance sur l'œil. Il y a des tons nobles, d'autres communs, des harmonies tranquilles, consolantes, d'autres qui vous excitent par leur hardiesse. En somme, vous voyez dans la graphologie des traits d'hommes francs, d'autres de menteurs ; pourquoi un amateur, les lignes et les couleurs ne nous donneraient-ils aussi le caractère plus ou moins grandiose de l'artiste. Voyez Cézanne, l'incompris, la nature essentiellement mystique de l'Orient (son visage ressemble à un ancien du Levant). Il affectionne dans la forme un mystère et une tranquillité lourde de l'homme couché pour rêver, sa couleur est grave comme le caractère des orientaux ; homme du Midi il passe des journées entières au sommet des montagnes à lire Virgile et à regarder le ciel. Aussi ses horizons sont élevés, ses bleus très intenses et le rouge chez lui est d'une vibration étonnante.

Le Virgile qui a plusieurs sens et que l'on peut interpréter à volonté, la littérature de ses tableaux a un sens parabolique à deux fins ; ses fonds sont aussi imaginatifs que réels. Pour résumer : quand on voit un tableau de lui, on s'écrie : « Étrange ! » Mais c'est un mystique, *dessin* de même.

Plus je vais plus j'abonde dans ce sens de traductions de la pensée pour tout autre chose qu'une littérature, nous verrons qui a raison. Si j'ai tort, pourquoi toute votre Académie, qui sait tous les moyens employés par les anciens maîtres, ne fait-elle pas des tableaux de maître ? Parce qu'on ne se compose pas une nature, une intelligence et un cœur, parce que Raphaël jeune en avait l'intuition et dans ses tableaux il y a des accords de lignes dont on ne se rend pas compte, car c'est la partie la plus intime de l'homme qui se retrouve toute voilée. Voyez dans les accessoires mêmes, le paysage d'un tableau de Raphaël, vous trouverez le même sentiment que dans une tête. On est pur en tout. Un paysage de Carolus Durand est aussi *bordel* qu'un portrait. (Je ne puis l'expliquer mais j'ai ce sentiment.)

Je suis ici plus que jamais tourmenté d'art, et mes tourments d'argent aussi bien que mes recherches d'affaires ne peuvent m'en détourner. Vous me dites que je ferai bien de me mettre dans votre société d'Indépendants ; voulez-vous que je vous dise ce qui arrivera ? Vous êtes une centaine, vous serez demain 200. Les commerçants artistes forment les deux tiers intrigants ; en peu de temps vous verrez prendre de l'importance des Gervex et autres, que ferons-nous, les rêveurs, les incompris ? Vous avez eu cette année une *presse favorable*, l'année prochaine les marins (il y a partout des Raphaeli) auront remué toute la boue pour vous en couvrir afin de paraître propre.

Travaillez *librement et follement*, vous ferez des progrès et tôt ou tard on saura reconnaître votre valeur si vous en avez. Surtout ne transpirez pas sur un tableau ; un grand sentiment peut être traduit immédiatement, rêvez dessus et cherchez-en la forme la plus simple.

Le triangle équilatéral est la forme la plus solide et la plus parfaite d'un triangle. Un triangle long est plus élégant. Dans la pure vérité il n'existe pas de côté ; à notre sentiment il y a les lignes à droite vont de l'avant celles à gauche reculent. La main droite frappe, celle de gauche est en défense. Un cou long est gracieux mais les têtes dans les épaules sont plus pensives. Un canard qui a l'œil en l'air écoute, que sais-je, je vous raconte un tas d'idiotismes ; votre ami Courtois est plus raisonnable mais sa peinture est si stupide. Pourquoi les saules dont les branches pendent sont-ils appelés pleureurs ? Est-ce parce que les lignes baissantes sont tristes ? Et le sycomore est-il triste parce qu'on le met dans les cimetières ? non, c'est la couleur qui est triste.

Comme affaire, je suis toujours comme au début, je ne verrai le résultat s'il y en a un, dans 6 mois. En attendant je suis sans le sou, emmerdé jusqu'au cou, c'est pourquoi je me console en rêvant.

Petit à petit nous nous en tirerons en donnant, ma femme et moi, des leçons de français, vous allez rire, moi des leçons de français !

Je vous souhaite meilleure chance qu'à nous.

Bien des choses à votre femme.

A SA FEMME

Gauguin, artiste peintre
chez Mme Gloanec
Pont-Aven (Finistère).

[Pont-Aven, fin juin 1886]

Ma chère Mette,

J'ai fini par trouver l'argent de mon voyage en Bretagne et je vis ici à crédit. Il n'y a presque pas de Français ; tous étrangers. 1 Danois, 2 Danoises, le frère d'Hagborg et beaucoup d'Américains. Ma peinture soulève beaucoup de discussion, et je dois le dire trouve un accueil assez favorable chez les Américains. C'est un espoir pour *l'avenir*. Il est vrai que je fais beaucoup de croquis et tu reconnaîtrais à peine ma peinture. J'espère m'en tirer cette saison ; et si tu trouvais un peu d'argent du Monet tu me l'enverrais. Quel dommage que nous ne nous soyons pas installés en Bretagne autrefois, à l'hôtel nous payons 65 Frs par mois logés et nourris. Une nourriture à engraisser sur place. Il y a aussi une maison pour 800 Frs avec écurie, remise, atelier et jardin. Je suis sûr qu'avec 300 Frs par mois une famille vivrait très heureuse.

Tu te figures qu'on est isolés. Pas du tout. Il y a des peintres hiver comme été, des Anglais, des Américains, etc. Si plus tard j'arrive à avoir un petit écoulement *certain* et continuel de mes tableaux, je viendrai m'y installer toute l'année.

Dans ta dernière lettre, tu parles d'être malade dans ton lit, mais tu ne me dis pas quel genre de maladie. Il ne faut pas se laisser aller. Que ferais-tu alors si tu étais sans logis. Tout est relatif en ce monde et tu dois te considérer comme heureuse par rapport à d'autres. Émil est en vacances à s'amuser, les autres à la campagne. Mon petit Clovis est en pension en fait de vacances et je n'ai pu l'emmener. Espérons que l'hiver prochain sera meilleur, en tout cas je serai moins incertain, je me tuerai plutôt que de vivre en mendiant comme l'hiver dernier.

Je prendrai un petit atelier près de l'église de Vaugirard où je travaillerai, pour la céramique à sculpter des pots comme le faisait autrefois Aubé. M. Bracquemond qui m'a pris en amitié à cause de mon talent m'a procuré cette industrie et m'a dit que cela pourrait *devenir* lucratif.

Espérons que j'aurai le talent dans la sculpture comme dans la peinture que je travaillerai du reste en même temps.
Embrasse les enfants.

Si tu fais faire une photographie de la petite Aline envoie-la moi.

A SA FEMME

[Saint-Pierre] *20 juin 1887*,

Ma chère Mette,
Je t'écris cette fois de la Martinique et je comptais y aller bien plus tard. Voilà longtemps que la mauvaise chance est contre moi et je ne fais pas ce que je veux. Il y avait 15 jours que je travaillais à la Société quand il est venu des ordres de Paris de suspendre beaucoup de travail et dans la même journée on a renvoyé 90 employés, et ainsi de suite, naturellement j'ai passé

P*astorales Martinique*, zincographie, 1889.

Mette Gauguin, photo prise au Danemark.

dans la liste comme nouveau venu. J'ai pris ma malle et je suis parti ici. Ce n'est pas un mal. Laval venait d'être pris d'une attaque de fièvre jaune que j'ai coupé heureusement avec l'homéopathie. Enfin tout est bien qui finit bien.

Actuellement nous sommes installés dans une case à nègres et c'est un paradis à côté de l'isthme. Au-dessous de nous la mer bordée de cocotiers, au dessus des arbres fruitiers de toutes espèces à 25 minutes de la ville.

Des nègres et négresses circulent toute la journée avec leurs chansons créoles et un bavardage éternel. Ne pas croire que c'est monotone, au contraire très varié. Je ne pourrai te dire mon enthousiasme de la vie dans les colonies françaises et je suis sûr que tu serais la même chose. La nature la plus riche, le climat chaud mais avec intermittence de fraîcheur. Avec un peu d'argent il y a de quoi être heureux mais il faut une certaine somme. Ainsi avec *trente mille* francs on peut ici avoir une propriété en ce moment qui rapporte de 8 à 10000 francs par an et vivre en plus c'est-à-dire manger en gourmands. Pour tout travail surveiller quelques nègres pour la récolte des fruits et des légumes sans aucune culture.

Nous avons commencé à travailler et j'espère envoyer d'ici quelque temps des tableaux intéressants. En tout cas nous allons avoir besoin dans quelques mois d'un peu d'argent, c'est le seul point noir à l'horizon. Je voudrais bien avoir de vos nouvelles et avec tous ces changements je n'ai pas encore de lettres.

Voilà encore une fête (du 7 juin) que je vois passer sans personne pour m'en dire un mot. Enfin ! !

Je te promets qu'ici un blanc a du mal à conserver sa robe intacte car les dames Putiphar ne manquent pas. Presque toutes sont de couleur depuis l'ébène jusqu'au blanc *mat des races noires* et elles vont jusqu'à opérer des charmes sur les fruits qu'elle vous donnent pour vous enlacer. Avant hier une jeune négresse de 16 ans, jolie ma foi, vient m'offrir une goyave fendue et pressée sur le bout. J'allais la manger une fois la jeune fille partie lorsqu'un avocat jaunâtre qui se trouvait là me prend le fruit des mains et le jette : « Vous êtes Européen, monsieur, et ne connaissez pas le pays, me dit-il, il ne faut pas manger un fruit sans connaître la provenance. Ainsi ce fruit a un sort ; la négresse l'a écrasé sur sa poitrine et sûrement vous seriez à sa discrétion après. » Je croyais une plaisanterie. Pas du tout ; ce malheureux mulâtre (qui avait fait ses études cependant) croyait à ce qu'il disait. Maintenant que je suis prévenu je ne tomberai pas et tu peux dormir tranquille sur ma vertu.

J'espère bien te voir un jour ici avec les enfants ; ne jette pas les hauts cris, il y a des collèges à la Martinique et les blancs sont choyés comme des merles blancs.

Écris-moi deux fois par mois.

Tu ne diras pas que je t'ai écrit une méchante lettre.

A SA FEMME

[Le Pouldu, fin juin 1889]

Ma chère Mette,

Oui, il y a plus de 6 mois que tu n'as de mes nouvelles mais il y a plus de 6 mois que j'ai reçu des nouvelles des enfants. Il est vrai qu'il a fallu grave accident pour que j'en aie et je ne saurais m'en réjouir quoique tout danger écarté (dis-tu).

Est-ce qu'on sait jamais ; on devient bossu ou idiot à la suite de pareille chose et on ne commence à ne s'en apercevoir que bien longtemps après. Enfin, je suis tellement habitué à l'adversité.

Comprends-tu le nombre de fois que j'ai écrit contre une lettre de toi et parce que tu es la dernière à écrire tu joues le silence ? Que j'écrive ou que je n'écrive pas, est-ce que ta conscience ne te dit pas qu'il faut me donner tous les mois des nouvelles des enfants que je n'ai pas vus depuis 5 ans – Et cependant à l'occasion tu sais m'en rappeler que je suis le père.

Il était question pour moi d'aller les voir il y a plus de six mois (tout d'un coup) vous avez trouvé vous autres de Copenhague que ce n'était pas sérieux de faire pareille dépense. Toujours les intérêts... d'argent mais ceux du cœur il n'en est jamais question. Pauvre femme qui se laisse *conseiller aussi mal*, et par qui, des gens qui en somme ne paient pas, ni argent, ni les pots cassés.

Joies de Bretagne, zincographie, 1889.

Que d'argent l'on *perd quand les associés ne sont pas d'accord*, et c'est ce que vous ne savez pas comprendre.

Que voulez-vous de moi ? Surtout qu'avez-vous voulu ? Qu'aux Indes ou autre part, je sois une bête de *rapport*, pour qui, pour la femme et les enfants que je ne *dois pas voir*. En échange de ce sacrifice d'une existence sans gîte, sans quoi que ce soit, on *m'aime si j'aime*, on *écrit si* j'écris, etc. Tu me connais. Ou je calcule (et je calcule bien) ou je ne calcule pas, le cœur sur la main, les yeux de face et je combats poitrine découverte. Ta puissante sœur n'a pas abdiqué son autorité sur toi, mais en échange où est sa protection ?

Eh bien j'accepte le rôle qu'on m'a donné, et alors je dois calculer, ne pas abandonner la proie pour l'ombre. Et l'ombre, c'est le rôle d'employé. Je serai employé à 2000 ou 4000 francs, les prix de vos frères, qu'aurait-on à me reprocher, rien, et cependant nous serions tous les deux à peu près dans la même situation. Quant à l'avenir personne n'y pense.

Je voulais, malgré la certitude que me donnait ma conscience consulter les autres (des hommes qui comptent aussi) pour savoir si je faisais mon devoir. Tous sont de mon avis, que mon affaire c'est l'art, c'est mon capital, l'avenir de mes enfants, c'est l'honneur du nom que je leur ai donné, toutes choses qui un jour leur servent – quand il s'agit de les placer, un père honorable *connu de tous* peut se présenter pour les caser. En conséquence, je travaille à mon art qui n'est rien (en argent) pour le présent (les temps sont difficiles) qui se dessine pour l'avenir.

C'est long direz-vous, mais que voulez-vous que j'y fasse, est-ce de ma faute ? Je suis le premier à en souffrir. Je peux t'assurer que si les gens qui s'y connaissent disaient que je n'ai pas de talent et que je suis un paresseux j'abandonnerai la partie depuis longtemps. Peut-on dire que Millet n'a pas fait son devoir et qu'il a laissé à ses enfants un misérable avenir ?

Tu veux de mes nouvelles ?

Je suis au bord de la mer dans une auberge de pêcheurs près d'un village de 150 habitants, je vis là comme un paysan sous le nom de sauvage. Et j'ai travaillé journellement avec un pantalon de toile (tous ceux d'il y a 5 ans sont usés). Je dépense 1 franc par jour pour ma nourriture et deux sous de tabac. Donc on ne peut me reprocher de jouir de la vie. Je ne cause avec personne et je ne reçois pas de nouvelles des enfants. Seul – tout seul –, j'expose mes œuvres chez Goupil à Paris, et elles font beaucoup de sensation, mais on ne les achète que très difficilement. Quand cela viendra je ne puis le dire, mais ce que je puis dire, c'est que je suis aujourd'hui un des artistes qui étonnent le plus. Ci-joint quelques lignes te renseignant à mon égard. Vous avez exposé de moi à Copenhague des choses anciennes, on aurait pu me demander mon avis.

Le 7/6/89 a passé sans qu'aucun enfant y pense. Enfin tout est bien qui finit bien. Je suis en train de faire demander par des amis influents une place au Tonkin j'espère par là vivre quelque temps et attendre des temps meilleurs. Comme ces places sont payées, tu pourras avoir des tableaux vendus chez Goupil, une partie. Quant à maintenant je n'ai rien. J'attends une vente probable d'un bois sculpté. Aussitôt que je l'aurai je t'enverrai 300 francs, tu peux y compter, c'est une affaire de temps seulement. Et j'écris à Paris pour tâcher d'en activer

Bretonnes à la Barrière, zincographie, 1889.

la vente.

J'ai fait cette année à l'Exposition universelle une exposition dans un café chantant ; peut-être quelques Danois l'auront vue et t'en auront parlé. En tout cas presque tous les Norvégiens voient chez Goupil ce que je fais et Philipsen que j'ai rencontré à Paris les a vus aussi.

Une fois pour toute ne termine pas tes lettres avec cette phrase sèche (ta femme Mette) ; j'aime mieux que l'on dise carrément ce que l'on pense, je t'en ai parlé autrefois mais tu n'as pas voulu comprendre.

Le Pouldu, près Quimperlé (Finistère)

A VINCENT VAN GOGH

Le Pouldu [20 octobre 1889]

Mon cher Vincent,

Depuis longtemps je devais vous répondre à votre longue lettre ; je sais combien vous êtes isolé en Provence et que vous aimez à recevoir des nouvelles des copains qui vous intéressent, et cependant beaucoup de circonstances m'en ont empêché. Entre autres un assez grand travail que nous avons entrepris en commun de Haan et moi : une décoration de l'auberge où nous mangeons. On commence par un mur puis on finit par faire les quatre, même le vitrail. C'est une chose qui apprend beaucoup, par conséquent utile. De Haan a fait sur le plâtre même un grand panneau de 2 mètres sur 1,50 de haut. Je vous envoie ci-joint un croquis fait sommairement de la chose. Paysannes d'ici travaillant au chanvre sur un fond de meules de paille.

Je trouve cela très bien et très complet, fait aussi sérieusement qu'un tableau.

J'ai fait à la suite une paysanne en train de filer sur le bord de la mer, son chien et sa vache. Nos deux portraits sur chaque porte. Dans la fièvre du travail et la hâte de voir tout terminé, le moment de se coucher arrivait aussitôt et je remettais ma lettre à plus tard – maintenant causons.

De tableaux religieux je n'en ai fait qu'un cette année, et cela il est bon de faire quelquefois des *essais* de toute sorte, afin d'entretenir ses forces imaginatives, et on revoit la nature après avec plaisir. Enfin tout cela est affaire de tempérament. Moi ce que j'ai fait surtout cette année, ce sont de simples enfants de paysans se promenant indifférents sur le bord de la mer avec leurs vaches. Seulement comme le trompe-l'œil du plein air et de quoi que ce soit ne me plaît pas je cherche à mettre dans ces figures désolées le sauvage que j'y vois et qui est en moi aussi. Ici en Bretagne les paysans ont un air du moyen âge et n'ont pas l'air de penser un instant que Paris existe et qu'on soit en 1889. Tout le contraire du Midi. Ici tout est rude comme la langue bretonne, bien fermé (il semble à tout jamais). Les costumes sont aussi presque symboliques influencés par les superstitions du catholicisme. Voyez le dos corsage une croix, la tête enveloppée d'une marmotte noire comme les religieuses. Avec cela les figures sont presque asiatiques jaunes et triangulaires, sévères. Que diable je veux aussi consulter la nature mais je ne veux pas en retirer ce que j'y vois et ce qui vient à ma pensée. Les roches, les costumes sont noirs et jaunes ; je ne peux pourtant pas les mettre blonds et coquets. Encore craintifs du seigneur et du curé les Bretons tiennent leurs chapeaux et tous leurs ustensiles comme s'ils étaient dans une église ; je les peins aussi en cet état et non dans une verve méridionale. En ce moment je fais une toile de 50 ; des femmes ramassant du goémon sur le bord de la mer. Ce sont comme des boîtes étagées de distance en distance, vêtements bleus et coiffes noires et cela malgré l'âpreté du froid. Fumier qu'ils ramassent pour fumer leurs terres, couleur ocre de ru avec des reflets fauves. Sables *roses* et non jaunes à cause de l'humidité probablement – mer sombre. En voyant cela tous les jours il me vient comme une bouffée de lutte pour la vie, de tristesse et d'obéissance aux lois malheureuses. Cette bouffée je cherche à la mettre sur la toile, non par hasard, mais par raisonnement en exagérant peut-être certaines rigidités de pose, certaines couleurs sombres etc. Tout cela est peut être *maniéré* ; mais dans le tableau où est le naturel ? *Tout* depuis les âges les plus reculés est dans les tableaux, tout à fait conventionnel, voulu, d'un bout à l'autre et bien loin du naturel par conséquent bien maniéré. Ils ont, les maîtres anciens direz-vous le génie. C'est vrai et nous ne l'avons pas, mais ce n'est pas une raison pour ne pas procéder comme eux. Pour un Japonais ce que nous faisons est maniéré et vice-versa ; cela provient qu'il y a entre les deux un écart notable dans la vision les usages et les types. Donc si un homme par suite de race, tempérament ou autre cause, voit, sent, pense différent de la masse il est peu naturel et par suite maniéré.

Vous avez vu à Arles le portail de Saint-Trophime, vu et exécuté bien différent des hommes du nord avec des *proportions* bien loin de la nature, et cela vous l'avez admiré, sans cauchemar – non en art (la vérité est ce que l'on sent, dans l'état d'âme où on est. Rêve qui veut ou qui peut. S'y laisse aller qui veut ou qui peut. Et le rêve vient toujours de la réalité dans la nature. Un Indien sauvage ne verra jamais en rêve un homme habillé comme à Paris

– etc. De Haan travaille toujours au Pouldu, vous remercie de votre bon souvenir et vous dit bien des choses. Il est (seul) l'auteur d'*Uriel*, le tableau dont vous avez parlé dans une lettre à Isaacson. Je n'ai pas trace de votre dessin d'après Rembrandt dont vous me proposiez échange (que je ferai avec plaisir).

Vous serre cordialement la main.

Emile Bernard, photographie.

A ÉMILE BERNARD,

Mon cher Bernard,

Le Pouldu, 1890

Je vous remercie de votre belle et aimable lettre. Oui je suis chagrin et c'est pourquoi je suis resté sans vous répondre. Toutes ces choses qui sont proches du cœur me touchent plus que je ne saurais le dire malgré toute la peine que je prends pour fermer mon cœur. Quant aux coteries qui hurlent devant mes tableaux, cela me fait peu de chose, d'autant plus que moi-même je sais que c'est incomplet, plutôt un acheminement à des choses pareilles. Il faut en faire le sacrifice en art, période par période, essais ambiants, une pensée flottante sans expression directe et définitive. Mais bah ! une minute où on

Armoire bretonne sculptée par Emile Bernard et Gaughin.

touche le ciel qui fuit après ; en revanche ce rêve *entrevu* est quelque chose de plus puissant que toute matière. Oui nous sommes destinés (artistes, chercheurs et penseurs) à périr sous les coups du monde, mais périr en tant que matière. La pierre périra, la parole restera. Nous sommes en pleine mélasse, mais nous ne sommes pas encore morts. Quant à moi ils n'auront pas encore ma peau. Si je pense obtenir ce que je demande en ce moment, une bonne place au Tonkin où je travaillerai ma peinture et ferai des économies. Tout l'Orient, la grande pensée écrite en lettres d'or dans tout leur art, tout cela vaut la peine d'étudier *(sic)* et, il me semble que je me retremperai là-bas. L'Occident est poussé en ce moment et tout ce qui est hercule *(sic)* peut comme Antée prendre des forces nouvelles en touchant le sol de là-bas. Et on en revient un ou deux ans après, solide.

En ce moment je me recueille fatigué mais non épuisé. Il fait peu de clarté dans une journée et je me repose en sculptant et en faisant des natures mortes. L'orage depuis dix jours ne cesse de gronder, la mer balaye notre plage et sans nouvelles de Paris, tout cela est bien triste en ce moment.

Je trouve très drôle cet achat de l'*Olympia* maintenant que l'artiste est mort. Le prendra-t-on au Louvre ? je ne crois pas et c'est à *souhaiter*.

Parce que le vent gronde et que ce serait un apaisement, il vaut mieux que l'inondation arrive plus colossale. C'est fatal et alors on achètera l'*Olympia* très cher comme le Millet. En ce moment plus il y a de bêtises plus les temps meilleurs se dessinent à l'horizon, et vous qui êtes jeune vous verrez cela. Quant à faire un article là-dessus je n'y suis guère engagé par la réception de celui que j'ai fait cette année. A deux lettres Aurier ne *m'a pas répondu* telle une merde de chien le long d'un mur. *Le Moderniste* n'est pas venu et je n'ai pu lire le *Maudit*.

J'ai souri à la vue de votre sœur devant mon pot. Entre nous je l'ai fait un peu exprès de tâter ainsi les forces de son admiration en pareille matière, je voulais ensuite lui donner une de mes meilleures choses quoique pas très réussie (comme cuisson).

Vous savez depuis longtemps et je l'ai écrit dans *le Moderniste*, je cherche le caractère dans chaque matière. Or le caractère de la céramique de gris est le sentiment du grand feu, et cette figure calcinée dans cet enfer en exprime, je crois, assez fortement le caractère. Tel un artiste entrevu par Dante dans sa visite dans l'enfer.

Pauvre diable ramassé sur lui-même, pour supporter la souffrance. Quoi qu'il en soit, la plus belle fille du monde ne peut donner que ce qu'elle a.

Vincent m'a écrit à peu près la même chose qu'à vous ; que nous allions au maniéré etc. Je lui ai répondu !

Ah ! j'ai un plaisir à vous demander. Si vous pouviez me faire une photographie du pot, bien en lumière, avec des reflets qui colorent la face, se détachant sur un fond clair.

Cordialement la main.
A Madeleine tous mes regrets de la rudesse de son pot.

À ANDRÉ FONTAINAS.

Tahiti, mars 1899.

Un grand sommeil noir
Tombe sur ma vie
Dormez, tout espoir
Dormez, toute envie,
VERLAINE

Monsieur Fontainas,

Mercure de France, n° de janvier, deux articles intéressants Rembrandt. Galerie Vollard. Dans ce dernier il est question de moi ; malgré votre répugnance vous avez voulu étudier l'art ou plutôt l'œuvre d'un artiste qui ne vous émotionne, en parler avec intégrité. Fait rare dans la critique coutumière.

J'ai toujours pensé qu'il était du devoir d'un peintre de ne jamais répondre aux critiques mêmes injurieuses – surtout celles-là, non plus à celles élogieuses – souvent l'amitié les guide.

Sans me départir de ma réserve habituelle, j'ai cette fois une folle envie de vous écrire, un caprice si vous voulez, et – comme tous les passionnels – je sais peu résister. Ce n'est point une réponse, puisque personnelle, mais une simple causerie d'art : votre article y invite, la suscite.

Nous autres peintres, de ceux condamnés à la misère, acceptons les tracas de la vie matérielle sans nous plaindre, mais nous en souffrons en ce qu'ils sont un empêchement au travail. Que de temps perdu pour aller chercher notre pain quotidien ! de basses besognes ouvrières, des ateliers défectueux et mille autres empêchements. De là bien des découragements et par suite impuissance, l'orage, les violences. Toutes considérations dont vous n'avez que faire et dont je ne parle que pour nous persuader tous deux que vous avez raison de signaler bien des défauts. Violence, monotonie des tons, couleurs arbitraires, etc. Oui tout cela doit exister, existe. Parfois, cependant, volontaires – ces répétitions de tons, d'accords monotones, au sens musical de la couleur, n'auraient-elles pas une analogie avec ces mélopées orientales chantées d'une voix aigre, accompagnement des notes vibrantes qui les avoisinent, les enrichissant par opposition, Beethoven en use fréquemment (j'ai cru le comprendre) – dans *la Sonate pathétique*, par exemple. Delacroix avec ses accords répétés de marron et de violets sourds, manteau sombre vous suggérant le drame. Vous allez souvent au Louvre : pensant à ce que je dis, regardez attentivement Cimabue. Pensez aussi à la part musicale que prendra désormais la couleur dans la peinture moderne. La couleur qui est vibration de même que la musique est à même d'atteindre ce qu'il y a de plus général et partant de plus vague dans la nature : sa force intérieure.

Ici, près de ma case, en plein silence, je rêve à des harmonies violentes dans les parfums naturels qui me grisent. Délice relevé de je ne sais quelle horreur sacrée que je devine vers l'immémorial. Autrefois, odeur de joie que je respire dans le présent. Figures animales d'une rigidité statuaire : je ne sais quoi d'ancien, d'auguste, religieux dans le rythme de leur geste, dans leur immobilité rare. Dans des yeux qui rêvent, la surface trouble d'une énigme insondable.

Et voilà la nuit – tout repose. Mes yeux se ferment pour *voir sans comprendre* le rêve dans l'espace infini qui fuit devant moi, et j'ai la sensation de la marche dolente de mes espérances.

Louant certains tableaux que je considérais comme insignifiants vous vous écriez – ah ! si Gauguin était toujours celui-là. Mais je ne veux pas être toujours celui-là.

Dans le large panneau que Gauguin expose, rien ne nous révèlerait le sens de l'allégorie, si... mon rêve ne se laisse pas saisir, ne comporte aucune allégorie ; poème musical, il se passe de libretto) citation Mallarmé. Par conséquent immatériel et supérieur, l'essentiel dans une œuvre consiste précisément dans « ce qui n'est pas exprimé : il en résulte implicitement des lignes, sans couleurs ou paroles, il n'en est pas matériellement constitué ».

Entendu aussi de Mallarmé devant mes tableaux de Tahiti :

Il est extraordinaire qu'on puisse mettre tant de mystère dans tant d'éclat.

Reparlant du panneau : l'idole est là non comme une explication littéraire, mais comme une statue, moins statue peut-être que les figures animales ; moins animale aussi, faisant corps dans mon rêve, devant ma case avec la nature entière, régnant en *notre âme primitive*, consolation imaginaire de nos souffrances en ce qu'elles comportent de vague et d'incompris devant le mystère de notre origine et notre avenir.

Et tout cela chante douloureusement en mon âme et mon décor, en peignant et rêvant tout à la fois, sans allégorie saisissable à ma portée – manque d'éducation littéraire peut-être.

Au réveil, mon œuvre terminée, *je me dis, je dis :* d'où venons-nous, que sommes-nous ? où allons-nous ? Réflexion qui ne fait plus partie de la toile, mise alors en langage parlé tout à fait à part sur la muraille qui encadre, non un titre mais une signature.

Voyez-vous j'ai beau comprendre la valeur des mots – abstrait ou concret – dans le dictionnaire, je ne les saisis plus en peinture. J'ai essayé dans un décor suggestif de traduire mon rêve sans aucun recours à des moyens littéraires, avec toute la simplicité possible de métier, labeur difficile. Accusez-moi d'avoir été là impuissant, mais non de l'avoir tenté, me conseillant de changer de but pour m'attarder à d'autres idées, déjà admises, consacrées, Puvis de Chavannes en est le haut exemple. Certes Puvis m'écrase par son talent, et l'expérience que je n'ai pas ; je l'admire autant et plus que vous mais pour des raisons différentes. (Ne vous fâchez pas, avec plus de connaissances de causes). Chacun son époque.

L'État a raison de ne pas me commander une décoration dans un édifice public, décoration qui froisserait les idées de la majorité, et j'aurais encore tort de l'accepter n'ayant d'autre alternative que celle de le tricher ou de mentir à moi-même.

A mon exposition chez Durand-Ruel un jeune homme demandait à Degas de lui expliquer mes tableaux qu'il ne comprenait pas. Celui-ci en souriant lui récita une fable de La Fontaine – « Voyez-vous lui dit-il, – Gauguin c'est le Loup maigre, sans collier. »

Voilà une lutte de quinze ans qui arrive à nous libérer de l'École, de tout ce fatras de recettes hors lesquelles il n'y avait point de salut, d'honneur, d'argent. Dessin, couleur, composition, sincérité devant la nature, que sais-je : hier encore, quelque mathématicien nous imposait (découvertes Charles Henri) des lumières, des couleurs immuables.

Le danger est passé. Oui, nous sommes libres et cependant je vois luire à l'horizon un danger ; je veux vous en parler. Cette longue et ennuyeuse lettre n'est guère écrite que pour cela. La critique d'aujourd'hui sérieuse, pleine de bonnes intentions et instruite tend à nous imposer une méthode de penser, de rêver, et alors ce serait un autre esclavage. Préoccupée

La maison de Gauguin à Tahiti, à Punaaiua.

de ce qui la concerne, son domaine spécial, la littérature, elle perdrait de vue ce qui nous concerne, la peinture. S'il en était ainsi je vous dirais hautainement la phrase de Mallarmé.

Un critique ! un Monsieur qui se mêle de ce qui ne le regarde pas.

En son souvenir, voulez-vous me permettre de vous offrir ces quelques traits une minute esquissés, vague souvenir d'un beau visage aimé au clair regard dans les ténèbres – non un cadeau, mais un rappel à l'indulgence dont j'ai besoin pour ma folie et ma sauvagerie.

Très cordialement.

Rencontres avec Gauguin

Quelques exemples de l'image que des contemporains ont eue de Gauguin. Des adjectifs piqués au hasard : rude, sûr de lui, réservé, ricanant, charmant, stupéfiant, ridicule, massif, ardent, généreux, égoïste, beau, cynique, légendaire !

Osny, 1883

Je suis content de savoir Gauguin le terrible auprès de vous, cela lui aurait fait trop de peine de ne pouvoir travailler sous votre égide le temps de ses vacances ; malgré sa rudesse ce n'est pas un mauvais compagnon on peut le trouver en la tempête.

Guillaumin à Pissarro,
juin 1883

Pont-Aven, 1886

Grand, les cheveux bruns et le teint basané, les paupières lourdes, de beaux traits s'associaient à une stature puissante ; Gauguin, à cette époque, était vraiment un beau spécimen d'homme [...] Il s'habillait, comme un pêcheur breton, d'un chandail bleu et portait le béret penché avec désinvolture. Son allure générale, sa démarche et le reste, rappelait celle d'un basque aisé, patron de goélette ; rien n'eut semblé plus éloigné de la folie ou de la décadence. Il était, d'une certaine manière, réservé et sûr de lui, taciturne et presque austère, bien qu'il pût se détendre et se montrer tout à fait charmant quand il le désirait [...] La plupart des gens en avaient plutôt peur et les plus téméraires ne s'avisaient d'aucune liberté avec lui. « C'est un malin », était en quelque sorte le jugement général.

A. S. Hartrick,
cité par V. Merlhès, Paris 1984
Correspondance de Paul Gauguin,

Paris, 1889-1891

Gauguin revint à Paris à la fin de l'année 1889. Il avait à cette époque quarante et un ans. C'était un homme solide et musclé, dont la taille ne

Paul Gauguin, gravure sur bois par Daniel de Monfreid.

dépassait pas la moyenne, mais qui, grâce à ses heureuses proportions, paraissait relativement grand. Son teint plombé et ses traits énergiques, mais prématurément fatigués, révélaient des périodes de souffrances physiques et morales jalousement inavouées.

Son costume d'alors était loin d'attirer les regards par un luxe grandiose [...] Un béret bleu foncé lui servait de coiffure, et sur ses épaules était jeté un long mac-farlane, chamois tourné définitivement au verdâtre. Sous le mac-farlane s'entrevoyait un veston, émaillé de quelques taches de peinture. L'artiste, en guise de gilet, portait un jersey bleu-marine, décoré d'applications de broderies bretonnes. Le pantalon, trop large, laissait tomber sur des sabots de bois sculpté sa double base à pieds d'éléphant. Ce dernier était, non le fruit de savantes conceptions, mais un vêtement tout fait, acquis, moyennant la modique somme de 12 fr. 50, aux magasins de l'*Incomparable*. Le principal mérite que Gauguin appréciait dans le costume, c'était, – on s'en doute, – le bon marché. N'ayant rien d'assuré, il lui fallait compter avec le pain quotidien. Il était du reste honnête et payait son tailleur.

J. de Rotonchamp,
Gauguin, 1906

Le Pouldu, 1889-1890

Gauguin avait alors quarante-deux ans. Dans toute la force de l'âge et d'une santé encore intacte, il avait la taille élevée, le visage brun, les cheveux noirs et assez longs, le nez aquilin, de gros yeux verts, une légère barbe en fer à cheval et une moustache courte. Il possédait un aspect grave et imposant, un maintien calme et réfléchi qui devenait parfois ironique en présence des philistins et une grande vigueur musculaire dont il n'aimait pas à se servir. Sa démarche lente, son geste sobre, sa mine sévère lui donnaient beaucoup de dignité naturelle et tenaient à distance les inconnus et les étrangers. Sous ce masque de froideur impassible se dissimulaient des sens ardents et un tempérament de jouisseur toujours à l'affût de sensations nouvelles. N'ayant jamais terminé ses études, il était resté dans l'incompréhension des Latins et des Grecs qu'il méprisait, faute de les avoir pratiqués. De ses pérégrinations de matelot, il avait rapporté quelques préceptes d'un pragmatisme rudimentaire qu'il résumait en une formule plusieurs fois inscrite sur les objets familiers qu'il aimait à décorer : « Vive le vin, l'amour et le tabac ! » [...]

Donc chez lui, grande avidité de sensation. En revanche, pénurie de sentiments. La base de son caractère était un cynisme féroce, l'égoïsme du génie qui considère le monde entier comme une proie vouée à la glorification de sa puissance, comme une matière première de ses créations personnelles. Mais l'exagération même de cet égoïsme forcené l'empêchait de transformer en un bourgeois banal ou en pilier d'estaminet l'artiste qui restait une figure héroïque.

Motheré, cité par Charles Chassé,
Gauguin et son temps, 1955

Tahiti, 1891

Disons tout de suite, dès son débarquement Gauguin avait attiré les regards des indigènes, provoqué leur étonnement et surtout leurs lazzis, surtout ceux des femmes. Grand, droit, taillé en force, gardant, malgré sa curiosité déjà éveillée et soucieuse sans doute de ses futurs travaux, un grand air de profond dédain [...] ce qui retenait l'attention surtout sur Gauguin, c'était ses longs cheveux poivre tombant en nappes sur ses épaules au-dessous d'un vaste chapeau de feutre brun à larges bords, à la cow-boy.

Lieutenant Jénot,
Gazette des Beaux-Arts,
t. XLVII, 1956

Paris, 1893-1895

Gauguin, vers cette époque, inaugura pour les visites que parfois il consentait à faire à Paris un costume étrange qui est resté légendaire. Celui-ci se composait d'une longue redingote à taille, de couleur bleue, et à boutons de nacre. Par dessous était un gilet bleu se boutonnant sur le côté et ayant un entourage de col brodé jaune et vert. Le pantalon était de ton mastic. La tête du peintre était coiffée d'un chapeau de feutre gris à ruban bleu de ciel, et ses mains, moins élégantes que robustes, disparaissaient sous des gants d'une blancheur immaculée. L'artiste, en guise de canne, portait un bâton décoré par lui-même de sculptures barbares et dans le bois duquel une perle fine était incrustée. Gauguin, sous ce costume somptueux, avait, à vrai dire, non la majesté d'un Magyar ou d'un Rembrandt, mais plutôt la tournure d'un compère de revue. Ce fut dans cette tenue d'apparat qu'il fut présenté, en 1894, au sous-secrétaire d'Etat des Colonies, lorsqu'il sollicita, infructueusement d'ailleurs, un poste de résident en Océanie. On juge de la stupeur des huissiers à l'apparition de cet extraordinaire solliciteur !

J. de Rotonchamp,
Gauguin, 1906

Le Pouldu, 1894

Gauguin était superbe, droit comme un arbre vigoureux, ricanant comme l'ange qui se perdit par orgueil.

A. Seguin,
L'Occident, 1903

Atuona, 1902

Koké [Gauguin], le « faiseur d'images », distribuait sans compter du tabac, du riz, des sucreries, des étoffes pour les jolies filles qui l'attiraient et dont il appréciait la superbe chevelure embaumée. [...]
[Il] mena aux Marquises, non pas l'existence primitive, retirée qu'il semblait souhaiter dans ses lettres, mais une existence très large, généreuse pour les indigènes, se laissant voler comme par plaisir, et sans jamais se plaindre.

Le Bronec, cité par Pottier,
Gazette des Beaux-Arts, 1956

Atuona, 1903

Depuis deux ans [...], un peintre impressionniste, M. Gauguin, malade, est venu s'établir à Atuona où il a dénommé son habitation la « Maison du Jouir ». Dès ce moment, il s'est attaché à attaquer dans l'esprit des indigènes toute autorité établie, les engageant à ne pas payer l'impôt et à ne plus envoyer leurs enfants à l'école. A ce dernier point de vue, il est allé jusqu'à venir sur la plage quoique se déplaçant avec difficultés pour décider les gens de l'île de Tahuata à remmener leurs enfants : des rapports de gendarmes en font foi.

Rapport de l'inspecteur
A. Salles au ministère
des Colonies, août 1903,
cité par Danielsson

Monotype placé en couverture du manuscrit de Gauguin, *l'Esprit moderne et le catholicisme*.

Vincent Van Gogh, raconté par Gauguin

Peu de temps avant sa mort, Gauguin rassemble ses souvenirs, qui ne seront publiés, sous le nom de « Avant et Après » qu'en 1923 ou de « Racontars de rapin » qu'en 1951. Ici, il se souvient, près de quinze ans après, de son séjour dramatique auprès de Vincent Van Gogh à Arles.

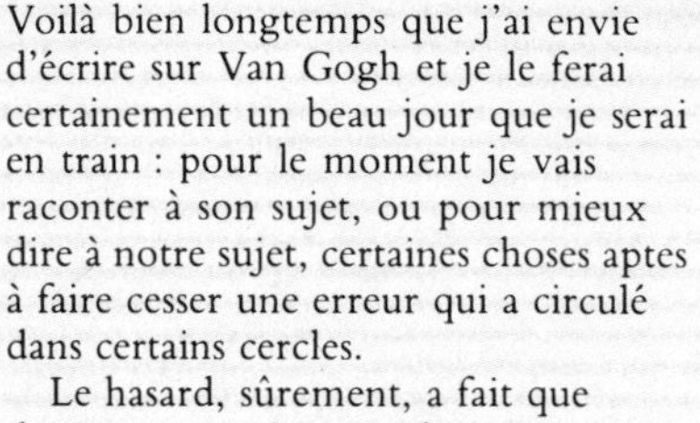

Voilà bien longtemps que j'ai envie d'écrire sur Van Gogh et je le ferai certainement un beau jour que je serai en train : pour le moment je vais raconter à son sujet, ou pour mieux dire à notre sujet, certaines choses aptes à faire cesser une erreur qui a circulé dans certains cercles.

Le hasard, sûrement, a fait que durant mon existence plusieurs hommes qui m'ont fréquenté et discuté avec moi sont devenus fous.

Les deux frères Van Gogh sont dans ce cas et quelques-uns mal intentionnés, d'autres avec naïveté m'ont attribué leur folie. Certainement quelques-uns peuvent avoir plus ou moins d'ascendant sur leurs amis, mais de là à provoquer la folie, il y a loin. Bien longtemps après la catastrophe, Vincent m'écrivit de la maison de santé où on le soignait. Il me disait :

« Que vous êtes heureux d'être à Paris. C'est encore là où se trouvent les sommités, et certainement vous devriez consulter un spécialiste pour vous guérir de la folie. Ne le sommes-nous pas tous ? » Le conseil était bon, c'est pourquoi je ne l'ai pas suivi, par contradiction sans doute.

Les lecteurs du *Mercure* ont pu voir dans une lettre de Vincent, publiée il y a quelques années, l'insistance qu'il mettait à me faire venir à Arles pour fonder à son idée un atelier dont je serais le directeur.

Je travaillais en ce temps à Pont-Aven en Bretagne et soit que mes études commencées m'attachaient à cet endroit, soit que par un vague instinct je prévoyais un quelque chose d'anormal, je résistai longtemps jusqu'au jour où, vaincu par les élans

Vincent Van Gogh, Autoportrait dédicacé à Gauguin, 1888.

sincères d'amitié de Vincent, je me mis en route.

J'arrivai à Arles fin de nuit et j'attendis le petit jour dans un café de nuit. Le patron me regarda et s'écria : « C'est vous le copain ; je vous reconnais. »

Un portrait de moi que j'avais envoyé à Vincent est suffisant pour expliquer l'exclamation de ce patron. Lui faisant voir mon portrait, Vincent lui avait expliqué que c'était un copain qui devait venir prochainement.

Ni trop tôt, ni trop tard, j'allai réveiller Vincent. La journée fut consacrée à mon installation, à beaucoup de bavardages, à de la promenade pour être à même d'admirer les beautés d'Arles et des Arlésiennes dont, entre parenthèses, je n'ai pu me décider à être enthousiaste.

Dès le lendemain nous étions à l'ouvrage ; lui en continuation et moi à nouveau. Il faut vous dire que je n'ai jamais eu les facilités cérébrales que les autres sans tourment trouvent au bout de leur pinceau. Ceux-là débarquent du chemin de fer, prennent leur palette et, en rien de temps, vous campent un effet de soleil. Quand c'est sec cela va au Luxembourg, et c'est signé Carolus Duran.

Je n'admire pas le tableau mais j'admire l'homme...

Lui si sûr, si tranquille.

Moi si incertain, si inquiet.

Dans chaque pays, il me faut une période d'incubation, apprendre chaque fois, l'essence des plantes, des arbres, de toute la nature *enfin*, si variée et si capricieuse, ne voulant jamais se faire deviner et se livrer.

Je restai donc quelques semaines avant de saisir clairement la saveur âpre d'Arles et ses environs. N'empêche qu'on travaillait ferme, surtout Vincent. Entre deux êtres, lui et moi, l'un tout volcan et l'autre bouillant aussi, mais en dedans il y avait en quelque sorte une lutte qui se préparait.

Tout d'abord je trouvai en tout et pour tout un désordre qui me choquait. La boîte de couleurs suffisait à peine à contenir tous ces tubes pressés, jamais refermés, et malgré tout ce désordre, tout ce gâchis, un tout rutilait sur la toile ; dans ses paroles aussi. Daudet, de Goncourt, la Bible brûlaient ce cerveau de Hollandais. A Arles, les quais, les ponts et les bateaux, tout le midi devenait pour lui la Hollande. Il oubliait même d'écrire le hollandais et comme on a pu voir par la publication de ses lettres à son frère, il n'écrivait jamais qu'en français et cela admirablement avec des *tant que quant à* à n'en plus finir.

Malgré tous mes efforts pour débrouiller dans ce cerveau désordonné une raison logique dans ses opinions critiques, je n'ai pu m'expliquer tout ce qu'il y avait de contradictoire entre sa peinture et ses opinions. Ainsi, par exemple, il avait une admiration sans bornes pour Meissonier et une haine profonde pour Ingres. Degas faisait son désespoir et Cézanne n'était qu'un fumiste. Songeant à Monticelli il pleurait.

Une de ses colères c'était d'être forcé de me reconnaître une grande intelligence, tandis que j'avais le front trop petit, signe d'imbécillité. Au milieu de tout cela une grande tendresse ou plutôt un altruisme d'Évangile.

Dès le premier mois je vis nos finances en commun prendre les mêmes allures de désordre. Comment faire ? la situation était délicate, la caisse étant remplie modestement par son frère employé dans la maison Goupil ; pour ma part en combinaison d'échange en tableaux. Parler : il le fallait et se heurter contre une susceptibilité très grande. Ce n'est donc qu'avec beaucoup de précautions et bien des manières câlines peu compatibles avec mon caractère que j'abordai la question. Il faut l'avouer, je réussis beaucoup plus facilement que je ne l'avais supposé.

Dans une boîte, tant pour promenades nocturnes et hygiéniques, tant pour le tabac, tant aussi pour dépenses impromptu y compris le loyer. Sur tout cela un morceau de papier et un crayon pour inscrire honnêtement ce que chacun prenait dans cette caisse. Dans une autre boîte le restant de la somme divisée en quatre parties pour la dépense de nourriture chaque semaine. Notre petit restaurant fut supprimé et un petit fourneau à gaz aidant, je fis la cuisine tandis que Vincent faisait les provisions, sans aller bien loin de la maison. Une fois pourtant Vincent voulut faire une soupe, mais je ne sais comment il fit ses mélanges. Sans doute comme les couleurs sur ses tableaux. Toujours est-il que nous ne pûmes la manger. Et mon Vincent de rire en s'écriant : « Tarascon ! la casquette au père Daudet. » Sur le mur, avec de la craie, il écrivit :

Je suis Saint-Esprit.
Je suis sain d'esprit.

Combien de temps sommes-nous restés ensemble ? je ne saurais le dire l'ayant totalement oublié. Malgré la rapidité avec laquelle la catastrophe arriva ; malgré la fièvre de travail qui m'avait gagné, tout ce temps me parut un siècle.

Sans que le public s'en doute, deux hommes ont fait là un travail colossal utile à tous deux. Peut-être à d'autres ? Certaines choses portent leur fruit.

Vincent, au moment où je suis arrivé à Arles, était en plein dans l'école néo-impressionniste, et il pataugeait considérablement, ce qui le faisait souffrir ; non point que cette école, comme toutes les écoles, soit mauvaise, mais parce qu'elle ne correspondait pas à sa nature, si peu patiente et si indépendante.

Avec tous ses jaunes sur violets, tout ce travail de complémentaires, travail désordonné de sa part, il n'arrivait qu'à de douces harmonies incomplètes et monotones ; le son du clairon y manquait.

J'entrepris la tâche de l'éclairer ce qui me fut facile car je trouvai un terrain riche et fécond. Comme toutes les natures originales et marquées au sceau de la personnalité, Vincent n'avait aucune crainte du voisin et aucun entêtement.

Dès ce jour mon Van Gogh fit des progrès étonnants ; il semblait entrevoir tout ce qui était en lui et de là toute cette série de soleils sur soleils, en plein soleil.

Avez-vu le portrait du poète ?

La figure et les cheveux jaunes de chrome.

Le vêtement jaune de chrome 2.

La cravate jaune de chrome 3 avec une épingle émeraude vert émeraude sur un fond jaune de chrome n° 4.

C'est ce que me disait un peintre Italien et il ajoutait :

– Mârde, mârde, tout est jaune : je ne sais plus ce que c'est que la pintoure.

Il serait oiseux ici d'entrer dans des détails de technique. Ceci dit pour vous informer que Van Gogh sans perdre un pouce de son originalité a trouvé de moi un enseignement fecond. Et chaque jour il m'en était reconnaissant. Et c'est ce qu'il veut dire quand il écrit à M. Aurier qu'il doit beaucoup à Paul Gauguin.

La *Chaise de Gauguin*, par Van Gogh, 1889.

Quand je suis arrivé à Arles, Vincent se cherchait, tandis que moi beaucoup plus vieux, j'étais un homme fait. A Vincent je dois quelque chose, c'est, avec la conscience de lui avoir été utile, l'affermissement de mes idées picturales antérieures : puis dans les moments difficiles me souvenir qu'on trouve plus malheureux que soi. [...]

Dans les derniers temps de mon séjour, Vincent devint excessivement brusque et bruyant, puis silencieux. Quelques soirs je surpris Vincent qui levé s'approchait de mon lit.

A quoi attribuer mon réveil à ce moment ?

Toujours est-il qu'il suffisait de lui dire très gravement :

« Qu'avez-vous Vincent, » pour que, sans mot dire, il se remît au lit pour dormir d'un sommeil de plomb.

J'eus l'idée de faire son portrait en train de peindre la nature morte qu'il aimait tant des Tournesols. Et le portrait terminé il me dit : « C'est bien moi, mais moi devenu fou. »

Le soir même nous allâmes au café. Il prit une légère absinthe.

Soudainement il me jeta à la tête son verre et le contenu. J'évitai le coup et le prenant à bras le corps je sortis du café, traversai la place Victor-Hugo et quelques minutes après Vincent se trouvait sur son lit où en quelques secondes il s'endormit pour ne se réveiller que le matin.

A son réveil, très calme, il me dit : « Mon cher Gauguin, j'ai un vague souvenir que je vous ai offensé hier soir.

R. – Je vous pardonne volontiers et d'un grand cœur, mais la scène d'hier pourrait se produire à nouveau et si j'étais frappé je pourrais ne pas être maître de moi et vous étrangler. Permettez-moi donc d'écrire à votre frère pour lui annoncer ma rentrée. »

Quelle journée, mon Dieu !

Le soir arrivé j'avais ébauché mon dîner et j'éprouvai le besoin d'aller seul prendre l'air aux senteurs des lauriers en fleurs. J'avais déjà traversé presque entièrement la place Victor-Hugo, lorsque j'entendis derrière moi un petit pas bien connu, rapide et saccadé. Je me retournai au moment même où Vincent se précipitait sur moi un rasoir ouvert à la main. Mon regard dut à ce moment être bien puissant car il s'arrêta et baissant la tête il reprit en courant le chemin de la maison.

Ai-je été lâche en ce moment et n'aurais-je pas dû le désarmer et chercher à l'apaiser ? Souvent j'ai interrogé ma conscience et je ne me suis fait aucun reproche.

Me jette la pierre qui voudra.

D'une seule traite je fus à un bon hôtel d'Arles où après avoir demandé l'heure je retins une chambre et je me couchai.

Très agité je ne pus m'endormir que vers 3 heures du matin et je me réveillai assez tard vers 7 heures et demie.

En arrivant sur la place je vis rassemblée une grande foule. Près de notre maison des gendarmes, et un petit monsieur au chapeau melon qui était le commissaire de police.

Voici ce qui s'était passé.

Van Gogh rentra à la maison et immédiatement se coupa l'oreille juste au ras de la tête. Il dut mettre un certain temps à arrêter la force de l'hémorragie, car le lendemain de nombreuses serviettes mouillées s'étalaient sur les dalles des deux pièces du bas. Le sang avait sali les deux pièces et le petit escalier qui montait à notre chambre à coucher.

Lorsqu'il fut en état de sortir, la tête enveloppée d'un béret basque tout à fait enfoncé, il alla tout droit dans une maison où à défaut de payse on trouve une connaissance, et donna au factionnaire son oreille bien nettoyée et enfermée dans une enveloppe. « Voici, dit-il, en souvenir de moi, » puis s'enfuit et rentra chez lui où il se coucha et s'endormit. Il eut le soin toutefois de fermer les volets et de mettre sur une table près de la fenêtre une lampe allumée.

Dix minutes après toute la rue accordée aux filles de joie était en mouvement et on jasait sur l'événement.

J'étais loin de me douter de tout cela lorsque je me présentais sur le seuil de notre maison et lorsque le monsieur au chapeau melon me dit à brûle pourpoint, d'un ton plus que sévère. « Qu'avez-vous fait, Monsieur, de votre camarade. » – Je ne sais...

– Que si... vous le savez bien... il est mort. »

Je ne souhaite à personne en pareil moment, et il me fallut quelques longues minutes pour être apte à penser et comprimer les battements de mon cœur.

La colère, l'indignation, la douleur, aussi et la honte de tous ces regards qui déchiraient toute ma personne, m'étouffaient et c'est en balbutiant que je dis : « C'est bien, Monsieur, montons et nous nous expliquerons là-haut. » Dans le lit Vincent gisait complètement enveloppé par les draps, blotti en chien de fusil : il semblait inanimé. Doucement, bien doucement, je tâtai le corps dont la chaleur annonçait la vie assurément. Ce fut pour moi comme une reprise de toute mon intelligence et de mon énergie.

Presqu'à voix basse je dis au commissaire de police : « Veuillez, Monsieur, réveiller cet homme avec beaucoup de ménagements et s'il demande après moi dites-lui que je suis parti pour Paris : ma vue pourrait peut-être lui être funeste. »

Je dois avouer qu'à partir de ce moment, ce commissaire de police fut aussi convenable que possible, et intelligemment il envoya chercher un médecin et une voiture.

Une fois réveillé, Vincent demande après son camarade, sa pipe et son tabac, songea même à demander la boîte qui était en bas et contenait notre argent. Un soupçon sans doute ! qui m'effleura étant déjà armé contre toute souffrance.

Vincent fut conduit à l'hôpital où aussitôt arrivé son cerveau recommença à battre la campagne.

Tout le reste, on le sait dans le monde que cela peut intéresser et il serait inutile d'en parler, si ce n'est cette extrême souffrance d'un homme qui soigné dans une maison de fous, s'est vu par intervalles mensuels reprendre la raison suffisamment pour comprendre son état et peindre avec rage les tableaux admirables qu'on connaît.

La dernière lettre que j'ai eue était datée d'Auvers près Pontoise. Il me disait qu'il avait espéré guérir assez pour venir me retrouver en Bretagne, mais qu'aujourd'hui il était obligé de reconnaître l'impossibilité d'une guérison.

« Cher maître (la seule fois qu'il ait prononcé ce mot), il est plus digne après vous avoir connu et vous avoir fait de la peine, de mourir en bon état d'esprit qu'en état qui dégrade. »

Et il se tira un coup de pistolet dans le ventre et ce ne fut que quelques heures après, couché dans son lit et fumant sa pipe, qu'il mourut ayant toute sa lucidité d'esprit, avec amour pour son art et sans haine des autres.

Dans les monstres Jean Dolent écrit : « Quand Gauguin dit : « Vincent, » sa voix est douce.

Ne le sachant pas, mais l'ayant deviné. Jean Dolent a raison. On sait pourquoi.

Avant et Après
écrit en 1902, publié en 1923

Les Alyscamps, à Arles. Photographie du XIXe siècle.

Le symbolisme en peinture

Il y avait eu le « Manifeste du Symbolisme » littéraire en 1886 ; cinq ans plus tard un jeune poète et critique, Albert Aurier, écrit celui du Symbolisme en peinture, pour chanter et définir l'art de celui qui en était le maître : Paul Gauguin.

Le Christ jaune de la chapelle de Trémalo.

Loin, très loin, sur une fabuleuse colline, dont le sol apparaît de vermillon rutilant, c'est la lutte biblique de Jacob avec l'Ange. [...]

Or, devant cette merveilleuse toile de Paul Gauguin, qui illumine vraiment l'énigme du Poème, aux paradisiaques heures de la primitive humanité ; qui révèle les charmes ineffables du Rêve, du Mystère et des voiles symboliques que ne soulèvent qu'à demi les mains des simples ; qui résout, pour le bon liseur, l'éternel problème psychologique de la possibilité des religions, des politiques et des sociologies ; qui montre enfin la farouche bête primordiale domptée par les philtres enchanteurs de la Chimère ; devant cette toile prodigieuse, non point, certes, tel banquier adipeux et prudhommesque s'enorgueillissant d'une galerie encombrée de Détaille (valeur sûre) et de Loustauneau (valeur d'avenir), mais même tel amateur, réputé intelligent et ami des juvéniles audaces au point d'admettre l'arlequinesque vision des pointillistes, de s'écrier :

– Ah ! non, par exemple !... Celle-là est trop forte !... Des coiffes et des fichus de Ploërmel, des Bretonnes, et de cette fin de siècle, dans un tableau qui s'intitule : *La Lutte de Jacob avec l'Ange ! !* Sans doute, je ne suis pas réactionnaire, j'admets l'impressionnisme, je n'admets même que l'impressionnisme, mais...

– Et qui donc vous a dit, mon cher monsieur? qu'il s'agissait là d'impressionnisme !

Peut-être, en effet, serait-il temps de dissiper une équivoque fâcheuse, qui fut incontestablement créée par ce mot d'*impressionnisme*, dont on a abusé.

Pour le public et, d'autre part, les peintres impressionnistes, c'est-à-dire tous ceux qui, révoltés contre les goûts imbéciles des critiques de boulevard et contre les ignares formulailleurs de l'école, se permettent l'outrecuidante liberté de ne pas copier quelqu'un.

Voilà qui serait bien, et cette appellation en vaudrait une autre. Malheureusement, pour largement entendue qu'elle soit, elle implique un sens, un sens précis même, et qui n'est point sans dérouter le public. Ce vocable : « impressionnisme », en effet, qu'on le veuille ou non, suggère tout un programme d'esthétique fondée sur la sensation. L'impressionnisme, c'est et ce ne peut être qu'une variété du réalisme, un réalisme affiné, spiritualisé, dilettantisé, mais toujours le réalisme. Le but visé, c'est encore l'imitation de la matière, non plus peut-être avec sa forme propre, sa couleur propre, mais avec sa forme perçue, avec sa couleur perçue, c'est la traduction de la sensation avec tous les imprévus d'une notation instantanée, avec toutes les déformations d'une rapide synthèse subjective. MM. Pissarro et Claude Monet traduisent, certes, les formes et les couleurs autrement que Courbet, mais, au fond, comme Courbet, plus même que Courbet, ils ne traduisent que la forme et que la couleur. Le substratum et le but dernier de leur art, c'est la chose matérielle, la chose réelle. Le public a donc fatalement, en prononçant ce mot d'« impressionnisme », la vague notion d'un programme de réalisme spécial ; il s'attend à des œuvres qui ne seront que la fidèle traduction *sans nul au-delà* d'une *impression exclusivement sensorielle*, d'une sensation. [...]

Oh ! combien rares, en vérité, parmi ceux qui se targuent de « dispositions artistiques », combien rares les heureux dont les paupières de l'âme se sont entrouvertes et qui peuvent s'écrier avec Swedenborg, le génial halluciné : « Cette nuit même, les yeux de mon homme intérieur furent ouverts : ils furent rendus propres à regarder dans les cieux, dans le monde des idées et dans les enfers !... » Et pourtant n'est-ce point là la préalable et nécessaire initiation que doit subir le vrai artiste, l'artiste absolu ?...

Paul Gauguin me semble un de ces sublimes voyeurs. Il m'apparaît comme l'initiateur d'un art nouveau, non point dans l'histoire, mais, au moins, dans notre temps. Analysons donc cet art à un point de vue d'esthétique générale. Ce sera, il me semble, étudier l'artiste lui-même, et peut-être faire mieux que la superficielle monographie composée de quelque vingt toiles décrites et de dix clichés complimenteurs dont se satisfait, d'ordinaire, la Critique d'aujourd'hui. [...]

Le but normal et dernier de la peinture, ai-je dit, comme d'ailleurs de tous les arts, ne saurait être la représentation directe des objets. Sa finalité est d'exprimer, en les traduisant dans un langage spécial, les Idées.

Aux yeux de l'artiste, en effet, c'est-à-dire aux yeux de celui qui doit être l'*Exprimeur des Etres absolus*, les objets, c'est-à-dire les êtres relatifs qui ne sont qu'une traduction proportionnée à la relativité de nos intellects des êtres absolus et essentiels, des Idées, les objets ne peuvent avoir de valeur en tant qu'objets. Ils ne peuvent lui apparaître que comme des *signes*. Ce sont les lettres d'un immense alphabet que l'homme de génie seul sait épeler.

Écrire sa pensée, son poème, avec ces signes, en se rappelant que le signe, pour indispensable qu'il soit, n'est rien en lui-même et que l'idée seule est tout, telle apparaît donc la tâche de l'artiste dont l'œil a su discerner les hypostases des objets tangibles. La première conséquence de ce principe, trop évidente pour qu'il faille s'y arrêter, c'est, on le devine, une nécessaire *simplification dans l'écriture du signe*. Si ce n'était, en effet, le peintre ne ressemblerait-il point au littérateur ingénu qui penserait ajouter quelque chose à son œuvre en soignant et en ornementant de futiles paraphes sa calligraphie ? [...]

Donc, pour enfin se résumer et conclure, l'œuvre d'art telle qu'il m'a plu la logiquement évoquer sera :

1° *Idéiste*, puisque son idéal unique sera l'expression de l'Idée ;

2° *Symboliste*, puisqu'elle exprimera cette Idée par des formes ;

3° *Synthétique*, puisqu'elle écrira ces formes, ces signes, selon un mode de compréhension générale ;

4° *Subjective*, puisque l'objet n'y sera jamais considéré en tant qu'objet, mais en tant que signe d'idée perçu par le sujet ;

5° (C'est une conséquence) *décorative* – car la peinture décorative proprement dite, telle que l'ont comprise les Égyptiens, très probablement les Grecs et les Primitifs, n'est rien autre chose qu'une manifestation d'art à la fois subjectif, synthétique, symboliste et idéiste.

Or, qu'on veuille bien y réfléchir, la peinture décorative c'est, à proprement parler, la vraie peinture. La peinture n'a pu être créée que pour *décorer* de pensées, de rêves et d'idées les murales banalités des édifices humains. Le tableau de chevalet n'est qu'un illogique raffinement inventé pour satisfaire la fantaisie ou l'esprit commercial des civilisations décadentes. Dans les sociétés primitives, les premiers essais picturaux n'ont pu être que décoratifs.

C'est art, que nous avons essayé de légitimer et de caractériser par toutes les déductions antécédentes, cet art qui a pu paraître compliqué et que tels chroniqueurs traiteraient volontiers d'art déliquescent, se trouve donc, en dernière analyse, ramené à la formule de l'art simple, spontané et primordial. C'est là le criterium de la justesse des raisonnements esthétiques employés. L'art idéiste, qu'il fallait justifier par d'abstraites et compliquées argumentations, tant il semble paradoxal à nos civilisations décadentes et oublieuses de toute initiale révélation, est donc, sans nul conteste, l'art véritable et absolu, puisque légitime au point de vue théorique, il se trouve, de plus, au fond, identique à l'art primitif, à l'art tel qu'il fut deviné par les génies instinctifs des premiers temps de l'humanité. [...]

Tel est l'art qu'il est consolant de rêver, tel est l'art que j'aime imaginer, en les obligatoires promenades parmi les piteuses ou turpides artistailleries qui encombrent nos industrialistes expositions. Tel est l'art, aussi, je crois à moins que je n'aie mal interprété la pensée de son œuvre, qu'a voulu instaurer en notre lamentable et putréfiée patrie ce grand artiste de génie, à l'âme de primitif et, un peu, de sauvage, Paul Gauguin.

Son œuvre, merveilleuse déjà, je ne puis la décrire ni l'analyser ici. Il me suffit d'avoir essayé de caractériser et de légitimer la conception très louable d'esthétique qui paraît guider ce grand artiste. Comment, en effet, suggérer avec des mots tout l'inexprimable, tout l'océan d'Idées que l'œil clairvoyant peut entrevoir dans ces magistrales toiles : *le Calvaire, la Lutte de Jacob avec l'Ange, le Christ jaune,* dans ces

Soyez amoureuses, vous serez heureuses, bois sculpté et peint, 1889.

merveilleux paysages de la Martinique et de Bretagne, où toute ligne, toute forme, toute couleur est le verbe d'une Idée, dans ce sublime *Jardin des Oliviers* où un Christ aux cheveux incarnadins, assis dans un site de désolation, semble pleurer les douleurs ineffables du rêve, l'agonie des Chimères, la trahison des contingences, la vanité du réel et de la vie et, peut-être, de l'au-delà... Comment dire la philosophie sculptée dans ce bas-relief ironiquement libellé : *Soyez amoureuses et vous serez heureuses*, où toute la luxure, toute la lutte de la chair et de la pensée toute la douleur des voluptés sexuelles se tordent et, pour ainsi dire, grincent des dents ? Comment évoquer cet autre bois sculpté : *Soyez mystérieuses*, qui célèbre les pures joies de l'ésotérisme, les troublants caressements de l'énigme, les fantastiques ombrages des forêts du problème ? Comment raconter enfin ces étranges et barbares et sauvages céramiques où, sublime potier, il a pétri plus d'âme que d'argile ?...

Et pourtant, qu'on y songe, si troublante, si magistrale et si merveilleuse que soit cette œuvre, elle n'est que peu comparée à celle que Gauguin eût pu produire, placé dans une civilisation autre. Gauguin, il faut le répéter, de même que tous les peintres idéistes, est, avant tout, un décorateur. Ces compositions se trouvent à l'étroit dans le champ restreint des toiles. On serait tenté parfois de les prendre pour des fragments d'immenses fresques, et presque toujours elles semblent prêtes à faire éclater les cadres qui les bornent indûment !...

Eh quoi ! nous n'avons, en notre siècle agonisant, qu'un grand décorateur, deux peut-être, en comptant Puvis de Chavannes, et notre imbécile société de banquiers et de polytechniciens refuse de donner à ce rare artiste le moindre palais, la plus infime masure nationale où accrocher les somptueux manteaux de ses rêves !

Les murs de nos Panthéons de Béotie sont salis par les éjaculations des Lenepveu et des Machin de l'Institut !...

Ah ! messieurs, comme la postérité vous maudira, vous raillera et crachera sur vous, si quelque jour le sens de l'art se réveille dans l'esprit de l'humanité !... Voyons, un peu de bon sens, vous avez parmi vous un décorateur de génie : des murs ! donnez-lui des murs !....

9 février 1891

G.-Albert Aurier,
le Symbolisme en peinture
Mercure de France

Noa Noa

Extraits du manuscrit original de Paul Gauguin, « Noa Noa » (Parfumée) rédigé à Paris en 1894 à partir de notes prises à Tahiti. Ce livre était destiné à faire connaître la vie quotidienne et la mythologie tahitiennes, pour éclairer le public sur les toiles peintes pendant son séjour qui paraissaient si mystérieuses. On a choisi ici la partie la plus autobiographique du récit.

PAUL GAUGUIN

NOA NOA

ÉDITION DÉFINITIVE

BOIS DESSINÉS ET GRAVÉS
D'APRÈS PAUL GAUGUIN
PAR DANIEL DE MONFREID

[D'un] côté la mer. De l'autre côté, le mango adossé à la montagne, bouchant l'antre formidable.

Près de ma case était une autre case *(Fare amu,* maison manger). Près de là une pirogue. Tandis que le cocotier malade semblait un immense perroquet laissant tomber sa queue dorée, et tenant dans ses serres une immense grappe de cocos.

L'homme presque nu levait de ses deux bras une pesante hache laissant en haut son empreinte bleue sur le ciel argenté, en bas son incision sur l'arbre mort qui tout à l'heure revivrait un instant de flammes, chaleurs séculaires accumulées chaque jour. Sur le sol pourpre, de longues feuilles serpentines d'un jaune de métal, tout un vocabulaire oriental, lettres (il me semblait) d'une langue inconnue mystérieuse. Il me semblait voir ce mot originaire d'Océanie : *Atua,* « Dieu ». [...] Une femme rangeait dans la pirogue quelques filets et l'horizon de la mer bleue était souvent interrompu par le vert de la crête des lames sur les brisants de corail. [...]

J'allai ce soir fumer une cigarette sur le sable au bord de la mer. Le soleil arrivait rapidement à l'horizon, commençant à se cacher derrière l'île [de] Moorea que j'avais à ma droite. Par opposition de lumière les montagnes se dessinaient noires puissamment sur le ciel incendié. Toutes ces arêtes comme d'anciens châteaux crénelés.

[...] Vite la nuit arriva. Moorea dormait encore cette fois. Je m'endormis plus tard dans mon lit. Silence d'une nuit tahitienne. Seuls les battements de mon cœur se faisaient entendre. Les roseaux alignés et distancés de ma case s'apercevaient de mon lit avec les filtrations de la lune tel un instrument de musique. Pipo chez nos anciens, *vivo* chez eux il se nomme – mais silencieux – par souvenirs il parle la nuit. Je m'endormis à cette musique. Au-dessus de moi le grand toit élevé de feuilles de pandanus, les lézards y demeurant. Je pouvais dans mon sommeil m'imaginer l'espace au-dessus de ma tête, la voûte céleste, aucune prison où l'on étouffe. Ma case c'était l'espace, la liberté. [...]

Voyage autour de l'Ile

M'écartant du chemin qui borde la mer je m'enfonce dans un fourré qui va assez loin dans la montagne. Arrive dans une petite vallée. Là quelques habitants qui veulent vivre encore comme autrefois. Tableaux *Matamua* « Autrefois » et de *Hina maruru*.

...Je continue ma route. Arrivé à Taravao (extrémité de l'île), le gendarme me prête son cheval. Je file sur la côte est, peu fréquentée par les Européens. Arrivée à Faaone petit district qui annonce celui d'Hitia, un indigène m'interpelle :

– Et ! l'homme qui fait des hommes (il sait que je suis peintre), viens manger avec nous ! *(Haere mai ta maha)*, la phrase hospitalière.

Je ne me fais pas prier, son visage est si doux. Je descends de cheval ; il le prend et l'attache à une branche, sans aucune servilité, simplement et avec adresse.

J'entre dans une maison où plusieurs hommes, femmes et enfants sont réunis, assis par terre, causant et fumant.

– Où vas-tu ? me dit une belle Maorie d'une quarantaine d'années.

– Je vais à Hitia.

– Pour quoi faire ?

Je ne sais pas quelle idée me traversa la cervelle. Je lui répondis :

– Pour chercher une femme. Hitia en a beaucoup et de jolies.

– Tu en veux une ?

– Oui.

– Si tu veux je vais t'en donner une. C'est ma fille.

– Est-elle jeune ?

– *Eha* [oui].

– Est-elle jolie ?

– *Ehu*.

– Est-elle bien portante ?

– *Eha*.

– C'est bien, va me la chercher.

Elle sortit un quart d'heure et tandis qu'on apportait le repas des *maioré*, des bananes sauvages et quelques crevettes, la vieille rentra suivie d'une grande jeune fille, un petit paquet à la main.

A travers la robe de mousseline rose excessivement transparente on voyait la peau dorée des épaules et des bras ; deux boutons pointaient dru à la poitrine. Son visage charmant me parut différent de celui des autres que j'avais vus dans l'île jusqu'à présent et ses cheveux poussés comme la brousse, légèrement crépus. Au soleil une orgie de chromes. Je sus qu'elle était originaire des Tonga.

Quand elle fut assise près de moi je lui fis quelques questions :

– Tu n'as pas peur de moi ?

– *Aita* [non].

– Veux-tu toujours habiter ma case ?

– *Eha*.

– Tu n'as jamais été malade ?

– *Aita*.

– Ce fut tout. Et le cœur me battait tandis qu'elle, impassible, rangeait devant moi par terre sur une grande feuille de bananier les aliments qui m'étaient offerts. Je mangeais, quoique de bon appétit, timidement. Cette jeune fille, une enfant d'environ treize ans, me charmait et m'épouvantait :

que se passait-il dans son âme ? et dans ce contrat si hâtivement conçu et signé j'avais la pudeur hésitante de la signature, moi presque un vieillard.

Peut-être la mère avait ordonné, débattant chez elle le marché. Et pourtant chez la grande enfant, la fierté indépendante de toute cette race, la sérénité d'une chose louable. La lèvre moqueuse quoique tendre indiquait bien que le danger était pour moi, non pour elle. Je ne dirai pas [que] sans peur je sortis de la case. Je pris mon cheval et je montai.

La jeune fille suivit derrière ; la mère, un homme, deux jeunes femmes, ses tantes disait-elle, suivirent aussi. Nous revenions à Taravao, à neuf kilomètres de Faaone.

Un kilomètre plus loin on me dit :

– *Parahi teie* (« Réside ici »).

Je descendis et j'entrai dans une grande case proprement tenue, et surtout presque l'opulence. L'opulence des biens de la terre, de jolies nattes par terre, sur du foin [...] Un ménage assez jeune, gracieux au possible, y demeurait, et la jeune fille s'assit près de sa mère qu'elle me présenta. Un silence. De l'eau fraîche que nous bûmes à la ronde comme une offrande, et la jeune mère l'œil ému et humide me dit :

– Tu es bon ?

Mon examen de conscience fait, je répondis avec trouble :

– Oui.

– Tu rendras ma fille heureuse ?

– Oui.

– Dans huit jours, qu'elle revienne. Si elle n'est pas heureuse elle te quittera.

Un long silence. Nous sortîmes et de nouveau à cheval je repartis. Elles suivaient derrière. Nous rencontrâmes sur la route plusieurs personnes :

– Et quoi, tu es maintenant la *vahiné* d'un Français ? Sois heureuse.

– Bonne chance. [...]

Les adieux de famille se firent à Taravao chez le Chinois qui vend là de tout, et les hommes et les bêtes. Nous prîmes tous deux, ma fiancée et moi, la voiture publique qui nous menait à vingt-cinq kilomètres de là, à Mataiea, chez moi.

Ma nouvelle femme était peu bavarde, mélancolique et moqueuse. Tous deux nous nous observions : elle était impénétrable, je fus vite vaincu dans cette lutte. Malgré toutes mes promesses intérieures, mes nerfs prenaient vite le dessus et je fus en peu de temps pour elle un livre ouvert.

Manao tupapau (l'Esprit des morts veille), une des gravures sur bois de la suite de Noa Noa, exécutée en 1893-1894.

... Une semaine se passa pendant laquelle je fus d'une « enfance » qui m'était inconnue. Je l'aimais et je le lui dis ce qui la faisait sourire (elle le savait bien !). Elle semblait m'aimer et ne me le disait point. Quelquefois, la nuit, des éclairs sillonnaient l'or de la peau de Tehamana. C'était tout. C'était beaucoup.

Cette huitaine rapide comme un jour, comme une heure, était écoulée : elle me demanda à aller voir sa mère à Faaone. Chose promise.

Elle partit et tout triste je la mis dans la voiture publique avec quelques piastres dans son mouchoir pour payer la voiture, donner du rhum à son père. Ce fut comme un adieu. Reviendrait-elle ?

Plusieurs jours après elle revint.

Je me remis au travail et le bonheur succédait au bonheur.

Chaque jour au petit lever du soleil, la lumière était radieuse dans mon logis. L'or du visage de Tehamana inondait tout l'alentour et tous deux dans un ruisseau voisin nous allions naturellement, simplement comme au paradis, nous rafraîchir.

La vie de tous les jours. Tehamana se livre de plus en plus, docile, aimante ; le *noa noa* tahitien embaume tout. Moi je n'ai plus la conscience du jour et des heures, du Mal et du Bien : tout est beau, tout est bien. D'instinct quand je travaille, quand je rêve, Tehamana se tait. Elle sait toujours quand il faut me parler sans me déranger.

Conversations sur ce qui se fait en Europe, sur Dieu, les dieux. Je l'instruis, elle m'instruit...

La vie de tous les jours. Dans le lit le soir, conversations. Les étoiles l'intéressent beaucoup ; elle me demande comment on nomme en français l'étoile du matin, celle du soir. Elle comprend difficilement que la terre tourne autour du soleil. A son tour elle me nomme les étoiles dans sa langue. [...] Ce qu'elle ne voulut jamais admettre c'est que ces étoiles filantes, fréquentes en ce pays et qui traversent le ciel lentement, mélancoliquement, ne soient des *tupapaus*.

Strindberg et Gauguin

Gauguin avait demandé à l'écrivain suédois, habitué de ses soirées dans l'atelier de la rue Vercingétorix, de préfacer le catalogue de la vente qu'il fit à l'Hôtel Drouot le 18 février 1895, avant son nouveau départ pour l'Océanie. Strindberg lui répondit par un refus. Gauguin inséra, à la place de l'habituelle préface, la lettre de Strindberg et sa propre réponse.

August Strindberg, auteur dramatique suédois (1849-1912).

STRINDBERG A GAUGUIN

Vous tenez absolument à avoir la préface de votre catalogue écrite par moi, en souvenir de l'hiver 1894-1895, que nous vivons ici, derrière l'Institut, pas loin du Panthéon, surtout près du cimetière Montparnasse.

Je vous aurais volontiers donné ce souvenir à emporter dans cette île d'Océanie, où vous allez chercher un décor en harmonie avec votre stature puissante et de l'espace, mais je me sens dans une situation équivoque dès le commencement, et je réponds tout de suite à votre requête par un « Je ne peux pas » ou, plus brutalement, par un « Je ne veux pas ».

Du même coup, je vous dois une explication à mon refus qui ne vient pas d'un manque de complaisance, d'une paresse de la plume, quoiqu'il m'eût été facile d'en rejeter la faute sur la maladie déjà célèbre de mes mains, laquelle d'ailleurs n'a pas encore laissé au poil le temps de pousser dans la paume.

Voici :

Je ne peux pas saisir votre art et je ne puis pas l'aimer. (Je n'ai aucune prise sur votre art, cette fois exclusivement taïtien). Mais je sais que cet aveu ne vous étonnera ni ne vous blessera, car vous me semblez surtout fortifié par la haine des autres ; votre personnalité se complaît dans l'antipathie qu'elle suscite, soucieuse de rester intacte. Et avec raison peut-être, car de l'instant où, approuvé et admiré, vous auriez des partisans, on vous rangerait, on vous classerait, on donnerait à votre art un nom dont les jeunes avant cinq ans se serviraient comme d'un sobriquet désignant un art suranné qu'ils feraient tout pour vieillir davantage.

J'ai tenté moi-même de sérieux efforts pour vous classer, pour vous introduire comme un chaînon dans la chaîne, pour m'amener à la connaissance de l'histoire de votre développement – mais en vain.

Je me souviens de mon premier séjour à Paris, en 1876. La ville était triste, car la nation portait le deuil des événements accomplis et avait l'inquiétude de l'avenir, quelque chose fermentait.

Dans les cercles suédois d'artistes, on n'avait pas encore entendu le nom de Zola, car *l'Assommoir* n'était pas publié ; j'assistai à la représentation au Théâtre Français de *Rome vaincue* où Mme Bernhardt, la nouvelle étoile, était couronnée une seconde Rachel ; et mes jeunes artistes m'avaient entraîné chez Durand-Ruel voir quelque chose de tout à fait neuf en peinture. Un jeune peintre, alors inconnu, me conduisait, et nous vîmes des toiles très merveilleuses, signées principalement Manet et Monet. Mais comme j'avais autre chose à faire à Paris que de regarder des tableaux – je devais en qualité de secrétaire de la bibliothèque de Stockholm rechercher un vieux missel suédois à la bibliothèque Sainte-Geneviève –, je regardais cette nouvelle peinture avec une indifférence calme. Mais le lendemain je revins, sans trop savoir comment, et je découvris « quelque chose » dans ces bizarres manifestations. Je vis le grouillement de la foule sur un embarcadère, mais je ne vis pas la foule même, je vis la course d'un train rapide dans un paysage normand, le mouvement des roues dans la rue, d'affreux portraits de personnes toutes laides qui n'avaient pu poser tranquillement. Saisi par ces toiles extraordinaires, j'envoyai à un journal de mon pays une correspondance dans laquelle j'avais essayé de traduire les sensations que je croyais que les impressionnistes avaient voulu rendre, et mon article eut un certain succès comme une chose incompréhensible.

Lorsqu'en 1883, je revins pour la deuxième fois à Paris, Manet était mort, mais son esprit vivait dans toute une école qui luttait pour l'hégémonie avec Bastien Lepage ; à mon troisième séjour à Paris, en 1885 je vis l'exposition de Manet. Ce mouvement s'était alors imposé ; il avait produit son effet et maintenant il était classé. A l'exposition triennale, même année, anarchie complète. Tous les styles, toutes les couleurs, tous les sujets : historiques, mythologiques et naturalistes. On ne voulait plus entendre parler d'écoles, ni de tendances. Liberté était maintenant le mot de ralliement. Taine avait dit que le beau n'était pas le joli et Zola que l'art était une parcelle de nature vue à travers un tempérament.

Cependant, au milieu des derniers spasmes du naturalisme, un nom était prononcé par tous avec admiration : celui de Puvis de Chavannes. Il était là tout seul comme une contradiction, peignant d'une âme croyante, tout en tenant légèrement compte du goût de ses contemporains pour l'allusion. (On ne possédait pas encore le terme de symbolisme, une appellation bien malheureuse pour une chose si vieille : l'allégorie).

C'est vers Puvis de Chavannes qu'allaient hier soir mes pensées, quand, aux sons méridionaux de la mandoline et de la guitare, je vis sur les murs de votre atelier ce tohu-bohu de tableaux ensoleillés, qui m'ont poursuivi cette nuit dans mon sommeil. J'ai vu des arbres que ne retrouverait aucun botaniste, des animaux que Cuvier n'a jamais soupçonnés et des hommes que vous seul avez pu créer. Une mer qui coulerait d'un volcan, un ciel dans lequel ne peut habiter nul dieu. Monsieur (disais-je dans mon rêve), vous avez créé une nouvelle terre et un nouveau ciel, mais je ne me plais pas au milieu de votre création, elle est trop ensoleillée pour moi qui aime le clair-obscur. Et dans votre paradis habite une Ève qui n'est pas mon idéal – car j'ai vraiment moi aussi un idéal de femme ou deux !

Ce matin, je suis allé visiter le musée du Luxembourg pour jeter un regard sur Chavannes qui me revenait toujours à l'esprit. J'ai contemplé avec une sympathie profonde *le Pauvre pêcheur*, si attentivement occupé à guetter la proie qui lui vaudra l'amour fidèle de son épouse cueillant des fleurs et de son enfant paresseux. Cela est beau ! Mais voilà que je me heurte à la couronne d'épines, du pêcheur. Or je hais le Christ et les couronnes d'épines. Monsieur, je les hais, entendez-vous bien ! Je ne veux point de ce dieu pitoyable qui accepte les coups. Mon Dieu, plutôt alors le Vitsliputsli qui au soleil mange le cœur des hommes.

Non, Gauguin n'est pas formé de la côte de Chavannes, non plus de celles de Manet ni de Bastien Lepage !

Qu'est-il donc ? Il est Gauguin, le sauvage qui hait une civilisation gênante, quelque chose du Titan qui, jaloux du créateur, à ses moments perdus fait sa propre petite création, l'enfant qui démonte ses joujoux pour en refaire d'autres, celui qui renie et qui brave, préférant voir rouge le ciel que bleu avec la foule.

Il semble, ma foi, que, depuis que je me suis échauffé en écrivant, je commence à avoir une certaine compréhension de l'art de Gauguin.

On a reproché à un auteur moderne de ne pas dépeindre des être réels, mais de construire *tout simplement* lui-même des personnages. *Tout simplement !*

Bon voyage, Maître : seulement revenez-nous et revenez me trouver. J'aurai peut-être alors appris à mieux comprendre votre art, ce qui me permettra de faire une vraie préface pour un nouveau calatogue dans un nouvel hôtel Drouot, car je commence aussi à sentir un besoin immense de devenir sauvage et de créer un monde nouveau.

Paris, le 1er février 1895,
August Strindberg.

GAUGUIN A STRINDBERG

Je reçois aujourd'hui votre lettre ; votre lettre qui est une préface pour mon catalogue. J'eus l'idée de vous demander cette préface, lorsque je vous vis l'autre jour dans mon atelier jouer de la guitare et chanter ; votre œil bleu du Nord regardait attentivement les tableaux pendus aux murs. J'eus comme le pressentiment d'une révolte : tout un choc entre votre civilisation et ma barbarie.

Civilisation dont vous souffrez. Barbarie qui est pour moi un rajeunissement.

Devant l'Ève de mon choix, que j'ai peinte en formes et en harmonies d'un autre monde, vos souvenirs d'élection ont évoqué peut-être un passé douloureux. L'Ève de votre conception civilisée vous rend et nous rend presque tous misogynes ; l'Ève ancienne, qui, dans mon atelier, vous fait peur

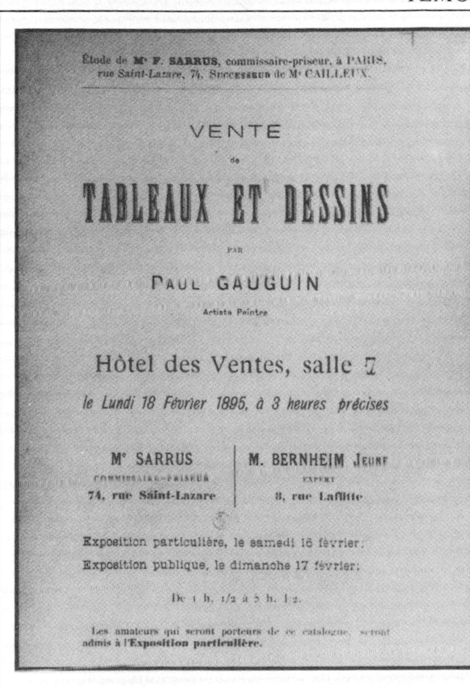

Étude de Mᵉ F. SARRUS, commissaire-priseur, à PARIS, rue Saint-Lazare, 74. Successeur de Mᵉ CAILLEUX.

VENTE
de
TABLEAUX ET DESSINS
par
PAUL GAUGUIN
Artiste Peintre

Hôtel des Ventes, salle 7
le Lundi 18 Février 1895, à 3 heures précises

Mᵉ SARRUS	M. BERNHEIM JEUNE
COMMISSAIRE-PRISEUR	EXPERT
74, rue Saint-Lazare	8, rue Laffitte

Exposition particulière, le samedi 16 février;
Exposition publique, le dimanche 17 février;

De 1 h. 1/2 à 5 h. 1/2.

Les amateurs qui seront porteurs de ce catalogue, seront admis à l'Exposition particulière.

pourrait bien un jour vous sourire moins amèrement.

[...] L'Ève que j'ai peinte (elle seule), logiquement peut rester nue devant nos yeux. La vôtre en ce simple état ne saurait marcher sans impudeur, et, trop belle (peut-être), serait l'évocation d'un mal et d'une douleur.

Pour vous faire bien comprendre ma pensée, je comparerai non plus ces deux femmes directement, mais la langue maorie ou touranienne, que parle mon Ève, et la langue que parle votre femme choisie entre toutes, langue à flexions, langue européenne.

Dans les langues d'Océanie, à éléments essentiels, conservés dans leur rudesse, isolés ou soudés sans nul souci du poli, tout est nu et primordial. Tandis que dans les langues à flexions, les racines par lesquelles, comme toutes les langues, elles ont commencé, disparaissent dans le commerce journalier qui a usé leur relief et leurs contours. C'est une mosaïque perfectionnée où l'on cesse de voir la jointure des pierres, plus ou moins grossièrement rapprochées, pour ne plus admirer qu'une belle peinture lapidaire. Un œil exercé peut seul surprendre le procédé de la construction.

Excusez cette longue digression de philologie ; je la crois nécessaire pour expliquer le dessin sauvage que j'ai dû employer pour décorer un pays et un peuple touraniens.

Paul Gauguin,
Paris, 5 février 1895.

Interview de Paul Gauguin

Cet entretien avec Gauguin, publié dans un journal à grand tirage, « l'Echo de Paris », le 15 mars 1895, a été fait peu avant le dernier départ. On retrouve assez bien, légèrement arrangé par le journaliste Eugène Tardieu, le ton des écrits de Gauguin.

Voici le plus farouche des novateurs, le plus intransigeant des « incompris ». Plusieurs de ceux qui le découvrirent l'ont lâché. Pour le plus grand nombre, c'est un pur fumiste. Lui, très sereinement, continue à peindre des fleuves orange et des chiens rouges, aggravant chaque jour cette manière si personnelle.

Taillé en hercule, les cheveux grisonnants et bouclés, la face énergique aux yeux clairs, il a un sourire à lui, très doux, modeste et un peu railleur.

– Copier la nature, qu'est-ce que ça veut dire ? me demande-t-il avec un haut-le-corps de défi. Suivre les maîtres ! Mais pourquoi donc les suivre ? Ils ne sont des maîtres que parce qu'ils n'ont suivi personne ! Bouguereau vous a parlé de femmes qui suent des arcs-en-ciel, il nie les ombres bleues ; on peut nier ses ombres brunes, mais son œuvre à lui ne sue rien ; c'est lui qui a sué à la faire, qui a sué pour copier servilement l'aspect des choses, qui a sué pour obtenir un résultat où la photographie lui est bien supérieure, et quand on sue, on pue ; il pue la platitude et l'impuissance. [...] D'ailleurs, qu'il y ait ou non des ombres bleues, peu importe : si un peintre voulait demain voir les ombres roses ou violettes, on n'aurait pas à lui en demander compte, pourvu que son œuvre fût harmonique et qu'elle donnât à penser.

– *Alors vos chiens rouges, vos ciels roses ?*

– Sont voulus absolument ! Ils sont nécessaires et tout dans mon œuvre est calculé, médité longuement. C'est de la musique, si vous voulez ! J'obtiens par des arrangements de lignes et de couleurs, avec le prétexte d'un sujet quelconque emprunté à la vie ou à la nature, des symphonies, des harmonies ne représentant rien d'absolument réel au sens vulgaire du mot, n'exprimant directement aucune idée, mais qui doivent faire penser comme la musique fait penser, sans le secours des idées ou des images, simplement par des affinités mystérieuses qui sont entre nos cerveaux et tels arrangements de couleurs et de lignes.

– *C'est assez nouveau !*

– Nouveau ! s'écrie M. Gauguin en s'animant ; mais pas du tout ! tous les grands peintres n'ont jamais fait autre chose ! Raphaël, Rembrandt, Velasquez, Botticelli, Cranach ont déformé la nature. Allez au Louvre, voyez leurs œuvres, aucune ne se ressemble ; si l'un d'eux est dans le vrai, tous les autres ont tort selon votre théorie, ou bien il faut admettre qu'ils se sont tous fichus de nous !

La nature ! la vérité ! ce n'est pas plus Rembrandt que Raphaël, Botticelli que Bouguereau. Savez-vous ce qui sera le comble de la vérité bientôt ? C'est la photographie quand elle rendra les couleurs, ce qui ne tardera pas. Et vous voudriez qu'un homme intelligent suât pendant des mois pour donner l'illusion de faire aussi bien qu'une ingénieuse petite machine ! En sculpture, c'est la même chose ; on arrive à faire des moulages parfaits sur nature ; un mouleur adroit vous fera comme ça une statue de Falguière quand vous voudrez !

– *Alors, vous n'acceptez pas l'épithète de révolutionnaire ?*

– Je la trouve ridicule. M. Roujon me l'a appliquée ; je lui ai répondu que tous ceux qui en art ont fait autre chose que leurs devanciers la méritaient ; or ce sont ceux-là seuls qui sont des maîtres. Manet est un maître, Delacroix est un maître. On a crié à l'abomination à leur début ; on se tordait devant le cheval violet de Delacroix ; je l'ai cherché vainement dans son œuvre, ce cheval violet. Mais le public est ainsi fait. Je suis parfaitement résigné à demeurer longtemps incompris. En faisant ce qui a déjà été fait, je serais un plagiaire et me considérerais comme indigne ; en faisant autre chose, on me traite de misérable. J'aime mieux être un misérable qu'un plagiaire !

– *Beaucoup de bons esprits pensent que les Grecs ayant réalisé la perfection idéale et la pure beauté en sculpture, la Renaissance ayant fait de même en peinture, il n'y a qu'à suivre ces modèles : ils ajoutent même que les arts plastiques ont dit tout ce qu'ils avaient à dire.*

– C'est une erreur absolue. La beauté est éternelle et peut prendre mille formes pour s'exprimer. Le Moyen Âge a eu une forme de beauté, l'Égypte en a eu une autre. Les Grecs ont cherché l'harmonie du corps humain, Raphaël a eu des modèles qui étaient des êtres très beaux, mais on peut faire une belle œuvre avec un modèle parfaitement laid. Le Louvre est plein d'œuvres comme cela.

– *Pourquoi êtes-vous allé à Tahiti ?*

– J'avais été séduit une fois par cette terre vierge et par sa race primitive et simple ; j'y suis retourné et je vais y retourner encore. Pour faire neuf, il faut remonter aux sources, à l'humanité en enfance. L'Ève de mon choix est presque un animal ; voilà pourquoi elle est chaste, quoique nue. Toutes les Vénus exposées au Salon sont indécentes, odieusement lubriques [...]

– Avant de partir, reprit-il au bout de quelques secondes, je vais faire paraître avec mon ami Charles Morice un livre où je raconte ma vie à Tahiti [...]

– *Le titre de ce livre ?*

– *Noa Noa*, ce qui veut dire, en tahitien, *odorant ;* ce sera : ce qu'exhale Tahiti.

Gauguin dans son dernier décor

Victor Segalen (1878-1919), alors jeune médecin de la marine et futur auteur des « Immémoriaux », de « Stèles » et de « René Leys », avait à peine vingt-cinq ans quand il séjourna peu après la mort de Gauguin à Atuona, et fit cette description de son atelier, premier témoignage publié à Paris sur ce qu'avait été la vie de Gauguin aux îles Marquises.

Ce décor, il fut somptueux et funéraire, ainsi qu'il convenait à une telle agonie ; il fut splendide et triste, paradoxal un peu, et entoura de tonalités justes le dernier acte lointain d'une vie vagabonde qui s'en éclaire et s'en commente. Mais, par reflets, la personnalité forte de Gauguin illumine à son tour le cadre choisi, le séjour ultimément élu, le remplit, l'anime, le déborde ; si bien qu'on peut comprendre dans une même vision d'œuvre scientifique : lui, premier rôle ; ses comparses indigènes ; le milieu décoratif.

Gauguin fut un monstre. C'est-à-dire qu'on ne peut le faire entrer dans aucune des catégories morales, intellectuelles ou sociales, qui suffisent à définir la plupart des individualités. Pour la foule, juger c'est étiqueter. On peut être honorable-négociant, magistrat-intègre, peintre-de-talent, pauvre-et-honnête, jeune-fille-bien-élevée ; on peut être « artiste », voire « grand artiste ». Mais c'est déjà moins permis, et il est impardonnable d'être autre chose que tout cela ; car il manquerait, pour être classé, le cliché requis. Gauguin fut donc un monstre, et il le fut complètement, impérieusement. Certains êtres ne sont exceptionnels que dans un sens, vers un axe autour duquel tourbillonnent,

Deux panneaux sculptés de la Maison du Jouir, qui ornaient la case de Gauguin à Atuona.

semble-t-il, l'ensemble de leurs forces vives ; et, pour le reste, la vie courante (économie domestique, visites de politesse, sentiment du devoir), ils peuvent être bourgeois, normaux. C'est affaire de tempérament, de tenue physique : tel écrivain splendide et forcené peut avoir l'habit de chair d'un maigre sacristain ; le génie n'exclut point un extérieur honorable, décent, une vie de négoce ou de ponctualité. Et Gauguin, encore, ne fut point tout cela : mais il apparut dans ses dernières années comme un être ambigu et douloureux, plein de cœur et ingrat ; serviable aux faibles, même à leur encontre ; superbe, pourtant susceptible comme un enfant aux jugements des hommes et à leurs pénalités, primitif et fruste ; il fut divers, et, dans tout, excessif.

De l'artiste à sa demeure, celle-ci n'étant qu'un geste de scène de celui-là. Geste sobre, et, dans la formidable décoration naturelle, touche harmonique et mesurée. Ce toit, brun et roux de feuillages lacés, tombant en deux longs versants sur la paroi jaune nattée et végétale aussi, ne heurte aucun détail alentour, se rattache au sol herbeux par une forte charpente brute, jaillie sans apprêts des ressources du pays. En face de l'escalier bref qui monte au parquet surhaussé, une petite maisonnette naïve abrite une maquette de glaise desséchée, effritée à la pluie. Il convient de s'arrêter, car c'est une effigie divine, et les rites anciens suggèrent la Prière de l'Etranger :

J'arrive en ce lieu où la terre est inconnue sous mes pieds.

J'arrive en ce lieu où le ciel est nouveau par-dessus ma tête.

J'arrive en cette terre qui sera ma demeure....

O Esprit de la terre, l'Etranger t'offre son cœur, en aliment pour toi.

Et c'est bien une figuration de l'atua indéfini des jours passés ; mais issue des rêveries exégétiques de l'artiste, elle est étrangement composite : l'attitude est Bouddhique, mais les lèvres musculeuses, les yeux saillants tout proches, non bridés, le nez droit à peine élargi aux narines, sont des traits indigènes : c'est un Bouddha qui serait né au pays Maori. Gauguin se plut à revêtir de poses hiératiques diverses les héros des mythes polynésiens. Il ne pouvait, en cela, relever que de lui-même ; car ces peuples dédaignèrent de figurer leurs dieux. Ils n'ignoraient point l'art de façonner le bois ou de tailler à même dans la lave et le grès rouge des statues colossales, mais ils n'en firent que des symboles, des tabernacles ou des images de tombeaux. [...]

Voici la maison : une minime chambre ouvrant sur l'atelier dont tout le pignon bée à la lumière. Mais le portrait ornementé retient : il s'entoure de scènes frustes et précises, expliquées de légendes et frottées de couleurs mortes ; en tête : la Maison du Jouir. A gauche et à droite deux panneaux où processent des figures d'ambre aux lèvres de chair bleutée, en des poses convulsées ou lentes, et qui enseignent en lettres d'or :

Soyez amoureuses et vous serez heureuses – Soyez mystérieuses et vous serez heureuses.

Puis, deux silhouettes femelles nues, aux lignes grossières comme œuvre de préhistorique. Enfin, deux toiles plaquées sur la paroi même.

Dans l'une chemine, sur fond vif d'indigo, une troupe d'indigènes aux gestes traînants, foulant un sol d'ocre brune presque rouge ; un porteur-deféi soulève sur la nuque le bâton transversal où pendent les plantureux régimes roux, et des filles aux torses cuivrés, avec des reflets d'olive, serrées en des étoffes jaunes et vertes, s'attardent en des poses familières. – La seconde indiffère.

Dans l'atelier où vague un pêle-mêle d'armes indigènes s'essouffle un vieux petit orgue, puis une harpe, des meubles disparates, de rares tableaux, car le maître venait de faire un dernier envoi. Il s'était pourtant réservé une ancienne œuvre très poussée : un portrait de lui-même, portrait douloureux où, sur un lointain de calvaires devinés, se dresse le torse puissant ; l'encolure est forte, la lèvre abaissée, les paupières alourdies. Une date : 1896, et une morne épigraphe : « Près du Golgotha ». Un autre portrait de facture différente, non daté ni signé, semble plus actuel et précise, dans un geste tout oblique, la forte encolure, encore, et le nez impérieux. Très en valeur dans l'atelier, l'œuvre la plus intéressante : Trois femmes au repos dont l'une accroupie. Celle de gauche qui porte, du geste habituel aux indigènes, un fruit de maioré est aperçue de dos, et se retourne à demi, hanchée sur la jambe droite. La seconde, jambes repliées sous elle, donne le sein à un enfant. Toutes deux, simplement et largement traitées, sont d'une rigoureuse expression tahitienne. La troisième s'en écarte, évoque les attitudes chères à Puvis. Tout cela sur un fond bi-parti de ciel et de sol : sol vert sombre, ciel vert clair et lumineux, ciel accalmisé du soir, harmonieux aux poses des trois figures lentes.

Et, dans un dernier paradoxe, l'œuvre des derniers moments, reprise en ces pays de lumière, c'était une glaciale vision d'hiver breton – reflets de neige fondant sur les chaumes, sous un ciel très bas strié d'arbres maigres – qui reçut les derniers coups de pinceaux de l'agonisant.

Gauguin n'est pas mort lépreux. – Et qu'importe de cataloguer ses diathèses : car elles ne furent point seules en cause, et s'empirèrent des luttes intimes, de la défaite. Luttes puériles où s'épuisait, en contestes infimes, le splendide lutteur, et défaite « judiciaire » dont le pur artiste s'affligeait étrangement ainsi que d'une déchéance. Comme si la justice des hommes pouvait éclabousser ceux-là que le génie surhausse en un forclos et imprescriptible Hors-la-Loi.

Autour de Gauguin s'agitaient (mollement) ses comparses indigènes, les pâles Marquisiens élancés au visage barré de stries bleuâtres qui reculent les yeux, démesurent la bouche ; à la peau claire habillée de signes incrustés de tatu, dont chaque ornement (jadis) signifiait un exploit. Gauguin choryphée entonnait une complainte et récriminait, et les choristes dociles achevaient l'antistrophe. Beaucoup le suivaient sans comprendre, de ces enfants géants dont la langue, pour exprimer nos mœurs, a dû se charger de radicaux sémites ou latins, restés pour eux lettres mortes. D'autres l'excitaient par de faux-avis ; et d'autres encore lui furent, parmi ces indigènes, fidèles et bons, vraiment. [...]

Et voici, enfin, la mise en scène : « De nos jours, en l'île d'Hiva-Oa, au district d'Atuana ». Toile de fond panoramique : la grande tombée verticale sur une vallée savoureuse de la muraille géante, striée de grêles cascades métalliques et écrêtée d'une barre horizontale de nuages stagnants, perpétuels, qui nivèle le dentelé des sommets. – Ces crêtes tourmentées

Nativité, monotype, 1899.

dénomment les îles : Grande-Crête, Crête-sur-la-Falaise, Crête-sur-le-Rocher. Leurs parois s'incrustèrent de cadavres, que, pour les honorer, les indigènes allaient tapir, par d'invraisemblables routes, en des cachettes presque aériennes. Les portants de la scène : ce sont les contreforts qui de droite et de gauche cernent jusqu'au rivage chaque vallée, que la mer vient barrer encore d'une crête déferlante ; car ici, pas de récif protecteur, cet apaisant récif des plages océaniennes mortes. Ici la mer vit, et bat, et ronge. La houle entre dans la baie, roule sur la plage blonde ou brune, suivant les jets de lave éructés jadis par des cratères éteints.

Et dans ces barrières strictes, un fouillis de masses vertes, de palmes ocreuses frissonnant au vent, de colonnades arborescentes hissant vers la lumière les efflorescences pressées. De l'eau bruit partout, crève sur la montagne, détrempe le sol, serpente en rivières au lit de galets ronds. Tout vit, tout surgit, dans la tiédeur parfumée des étés à peine nuancés de sécheresse, tout : hormis la race des hommes. Car ils agonisent, ils meurent, les pâles Marquisiens élancés. Sans regrets, sans plaintes ni récris, ils s'acheminent vers l'épuisement prochain. Et là encore, à quoi serviraient de pompeux diagnostics ? L'opium les a émaciés, les terribles jus fermentés les ont corrodés d'ivresses neuves ; la phtisie creuse leurs poitrines, la syphilis les tare d'infécondité. Mais qu'est-ce que tout cela sinon les modes divers de cet autre fléau : le contact des « civilisés ». Dans vingt ans ils auront cessé d'être « sauvages ». Ils auront, en même temps, à jamais, cessé d'être.

Voici donc que ces vallées somptueuses apparaissent alors chemins funéraires, pénétrant vers le cœur stérile des îles : bordées de maisons de bois affaissées sur leurs terrasses de pierre éboulées aussi, semées de paë-paë sacrés, où, dans l'enceinte de basaltes roulés s'immolaient les victimes, elles ont vu mourir les dieux autochtones, puis les hommes. Gauguin y mourut donc aussi, dans une claire matinée de la saison fraîche. Le fidèle Tioka, son ami indigène, le couronna de fleurs odorantes, l'enduisit, selon l'usage, du monoï onctueux, puis déclara tristement : « Maintenant, il n'y a plus d'homme . »

Victor Segalen,
Iles Marquises – Tahiti.
Janvier 1904.

Petit lexique arbitraire des idées et des humeurs de Gauguin

Quelques opinions sur l'art, les artistes et diverses choses.

de en ce moment.
ous demander un
et marcher), mes l
tes –
and merci d'avan
Paul Gauguin

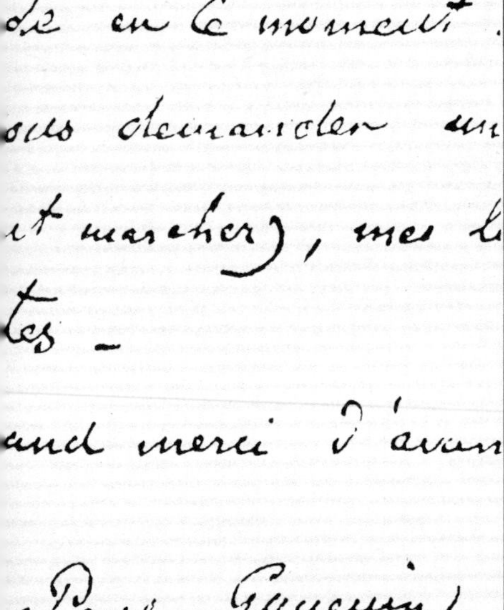

Lettre de Gauguin à Daniel de Monfreid

Abstraction

Un conseil, ne peignez pas trop d'après nature. L'art est une abstraction, tirez-la de la nature en rêvant devant et pensez plus à la création qui résultera.

A Schuffenecker,
14 août 1888, Pont-Aven

Aide de l'État

[Schuffenecker] vient de faire une pétition, inutile je crois, pour que l'État vienne à mon aide. C'est la chose qui peut le plus me froisser. Je demande aux amis de me venir en aide pendant le temps qu'il faut pour rentrer dans mon argent qui m'est dû, et leurs efforts pour le recouvrer, mais mendier à l'État n'a jamais été mon intention. Tous mes efforts de lutte en dehors de l'officiel, la dignité que je me suis efforcé d'avoir toute ma vie, perdent de ce jour leur caractère.

A Daniel de Monfreid,
août 1896

Androgyne

Si [...] vous voulez être quelqu'un, avoir pour unique bonheur celui qui est le résultat de votre indépendance et de votre conscience [...], il faut vous considérer comme androgyne sans sexe. Je veux dire par là que l'âme, le cœur, tout ce qui est divin enfin ne doit pas être *esclave* de la matière, c'est-à-dire du corps.

A Madeleine Bernard,
octobre 1888

Aristocrate

Intuitivement d'instinct sans réflexion. J'aime la noblesse, la beauté, les goûts délicats et cette devise d'autrefois : « Noblesse oblige. » J'aime les bonnes manières, la politesse même de Louis XIV. Je suis donc (d'instinct et sans savoir pourquoi) aristo. Comme artiste. L'art n'est que pour la minorité, lui-même doit être noble. Les grands seigneurs seuls ont protégé l'art, d'instinct, de devoir (par orgueil peut-être). N'importe ils ont fait faire de grandes et belles choses. Les rois et les papes traitaient un artiste pour ainsi dire d'égal à égal.

Les démocrates, banquiers, ministres, critiques d'art prennent des airs protecteurs et ne protègent pas, marchandent comme des acheteurs de poisson à la halle. Et vous voulez qu'un artiste soit républicain !

Cahier pour Aline

Beauté maorie

La femme maorie ne saurait être fagotée et ridicule ; c'est qu'il y a en elle ce sens du beau décoratif que j'admire dans l'art marquisien après l'avoir étudié. Puis ne serait-ce que cela ? N'est-ce donc rien qu'une jolie bouche qui, au sourire, laisse voir d'aussi belles dents ? [...] Et ce joli sein au bouton doré si rebelle au corset ? Ce qui distingue la femme maorie d'entre toutes les femmes et qui souvent la fait confondre avec l'homme, ce sont les proportions du corps. Une Diane chasseresse qui aurait les épaules larges et le bassin étroit.

[...] Chez la Maorie, la jambe depuis la hanche jusqu'au pied donne une jolie ligne droite. La cuisse est très forte, mais non dans la largeur, ce qui la rend très ronde et évite cet écart qui a fait donner pour quelques-unes dans nos pays la comparaison avec une paire de pincettes.

Leur peau est jaune doré, c'est entendu et c'est vilain pour quelques-uns, mais tout le reste, surtout quand il est nu, est-ce donc si vilain que cela ?

Avant et Après

Bretagne

J'aime la Bretagne : j'y trouve le sauvage, le primitif. Quand mes sabots résonnent sur ce sol de granit, j'entends le ton sourd, mat et puissant que je cherche en peinture.

A Schuffenecker,
février 1888, Pont-Aven

B*aigneurs en Bretagne*, zincographie, 1889.

Céramique

La céramique n'est pas une futilité. Aux époques les plus reculées, chez les Indiens de l'Amérique, on trouve cet art constamment en faveur. Dieu fit l'homme avec un peu de boue. Avec un peu de boue on peut faire du métal, des pierres précieuses, avec un peu de boue et aussi un peu de génie !

Notes sur l'art à l'Exposition universelle

Cézanne

[...] Monsieur le Critique, vous n'avez pas la prétention d'avoir découvert Cézanne. Aujourd'hui vous l'admirez. L'admirant (ce qui nécessite compréhension) vous dites : « Cézanne est monochrome. » Vous auriez pu dire polychrome et même polyphone. De l'œil et de l'oreille ! [...] « Cézanne ne vient de personne : il se contente d'être Cézanne ! » Il y a erreur, sinon il ne serait le peintre qu'il est. Il n'est pas comme Loti sans avoir lu ; il connaît Virgile ; il a regardé Rembrandt et lu Poussin avec compréhension.

Racontars de rapin

Corot

Puis encore je me suis attardé aux nymphes de Corot dansant dans les bois de Ville-d'Avray. Ce délicieux Corot, sans aucune étude de danse à l'Opéra, tout naïvement du reste et de bonne foi, sut les faire danser, toutes ces nymphes, et dans les horizons brumeux transformer tous les cabanons de la banlieue de Paris en vrais temples païens. Il aimait à rêver, et devant ses tableaux je rêve aussi.

Diverses Choses

Couleur

La couleur étant en elle-même énigmatique dans les sensations qu'elle nous donne, on ne peut logiquement l'employer qu'énigmatiquement, toutes les fois qu'on s'en sert, non pour dessiner, mais pour donner les sensations musicales qui découlent d'elle-même, de sa propre nature, de sa force intérieure, mystérieuse, énigmatique. Au moyen d'harmonies savantes on crée le symbole. La couleur qui est vibration comme la musique atteint ce qu'il y a de plus général et partant de plus vague dans la nature : sa force intérieure. [...]

Diverses Choses

Degas

[...] Je suis bien heureux que vous ayez fait la connaissance de Degas et qu'en voulant m'être utile vous y avez gagné de votre côté quelques bonnes relations. Ah ! oui, Degas passe pour être rosse et mordant (moi aussi, dit Schuffenecker).

Et cela n'est pas pour ceux que Degas juge dignes de son attention et de son estime. Il a l'instinct du cœur et de l'intelligence. [...] Degas est comme talent et comme conduite un exemple rare de ce que l'artiste doit être : lui qui a eu pour collègues et admirateurs tous

Edgar Degas.

ceux qui sont au pouvoir : Bonnard, Puvis, etc., Antonin Proust... et qui n'a jamais rien voulu avoir. De lui, on n'a jamais entendu, vu, une saleté, une indélicatesse, quoi que ce soit de vilain. Art et dignité.

A Daniel de Monfreid,
15 août 1898, Papeete

Il respecte Ingres, ce qui fait qu'il se respecte lui-même. A le voir, son chapeau de soie sur la tête, ses lunettes bleues sur les yeux, il a l'air d'un parfait notaire, d'un bourgeois du temps de Louis-Philippe, sans oublier le parapluie.

S'il y a un homme qui cherche peu à passer pour un artiste, c'est bien celui-là ; il l'est tellement. Et puis il déteste toutes les livrées, même celle-là. Il est très bon, mais spirituel il passe pour être rosse. Méchant et rosse. Est-ce la même chose ?

Un jeune critique qui a la manie d'émettre une opinion, comme les augures prononcent leurs sentences, a dit : « Degas, un bourru bienfaisant ! » Degas un bourru ! Lui qui dans la rue se tient comme un ambassadeur à la cour. Bienfaisant ! c'est bien trivial. Il est mieux que cela.

[...] Ah ! je vois ce que c'est. Bourru. Degas se défie de l'interview. Les peintres cherchent son approbation, lui demandent son appréciation et lui, le bourru, le rosse, pour éviter de dire ce qu'il pense, vous dit très aimablement : « Excusez-moi, mais je ne vois pas clair, mes yeux... »

En revanche, il n'attend pas que vous soyez connu. Chez les jeunes, il devine, et lui, le savant ne parle jamais d'un défaut de science. Il se dit : « Assurément, plus tard, il saura », et vous dit, tel un papa, comme moi au début : « Vous avez le pied à l'étrier. »

Parmi les forts, personne ne le gêne.

Avant et Après

Delacroix

Il est étonnant que Delacroix si fortement préoccupé de la couleur la raisonne en tant que loi physique et imitation de la nature. La couleur ! cette langue si profonde, si mystérieuse, langue du rêve. Aussi dans toute son œuvre je perçois la trace d'une grande lutte entre sa nature si rêveuse et le terre à terre de la peinture de son époque. Et malgré lui son instinct se révolte ; souvent dans maints endroits il foule aux pieds ces lois naturelles et se laisse aller en pleine fantaisie.

Diverses Choses

Eugène Delacroix, Autoportrait.

Envoyez-moi une photo de la *Barque de Don Juan*, de Delacroix, si toutefois cela ne coûte pas trop cher. J'avoue qu'en ce moment, mes seuls moments, c'est quand je peux me renfermer dans la maison artistique. Avez-vous remarqué combien cet homme avait le tempérament des fauves ? C'est pourquoi il les a si bien peints. Le dessin de Delacroix me rappelle toujours le tigre aux mouvements souples et forts. On ne sait jamais dans ce superbe animal où les muscles s'attachent, et les contorsions d'une patte donnent l'image de l'impossible, cependant dans le réel. De même chez Delacroix les bras et les épaules se retournent toujours d'une façon insensée et impossible au raisonnement, mais cependant expriment le réel dans la passion.

Les draperies s'enroulent comme un serpent et c'est d'un tigre ! Quoi qu'il en soit et quoi que vous en pensiez, la barque de son Don Juan est le souffle d'un monstre puissant et j'aimerais bien à me repaître de ce spectacle. Tous ces affamés au milieu de cet océan sinistre [...]. Tout disparaît devant la faim. Rien que de la peinture, pas de trompe-l'œil. La barque est un joujou qui n'a été construit dans aucun port de mer. Pas marin M. Delacroix, mais aussi quel poète, et il a ma foi bien raison de ne pas imiter Gérôme, l'exactitude archéologue.

A Schuffenecker,
24 mai 1895

Faible

Beaucoup de gens trouvent toujours protection parce qu'on les sait faibles et qu'ils savent demander. Jamais personne ne m'a protégé parce qu'on me croit fort et que j'ai été trop fier. Aujourd'hui je suis par terre, faible, à moitié usé par la lutte sans merci que j'avais entreprise, je m'agenouille et mets de côté tout orgueil. Je ne suis rien sinon un raté.

A Monfreid,
avril 1896, Tahiti

Femme

La femme veut être libre. C'est son droit. Et assurément ce n'est pas l'homme qui l'en empêche. Le jour où son honneur ne sera plus placé au-dessous du nombril, elle sera libre. Et peut-être aussi mieux portante.

Cahier pour Aline

Grec

Vous trouverez toujours le lait nourricier dans les arts primitifs. (Dans les arts de pleine civilisation, rien, sinon répéter.) Quand j'ai étudié les Égyptiens, j'ai toujours trouvé dans mon cerveau un élément sain d'autre chose, tandis que l'étude du grec, surtout le grec décadent, m'a inspiré dégoût ou découragement, un vague sentiment de la mort sans espoir de renaître. [...]

Ayez toujours devant vous les Persans, les Cambodgiens et un peu l'Égyptien. La grosse erreur, c'est le Grec, si beau qu'il soit.

A Monfreid,
octobre 1897, Tahiti

Hokusai

Chez ce guerrier d'Hokusai n'y voyez-vous pas la noble attitude du *Saint Michel* de Raphaël, la même pureté des lignes, avec la puissance d'un Michel-Ange, et cela avec des moyens beaucoup plus simples, sans le jeu des ombres et de la lumière ? Si loin, si près de la nature. Inutile d'insister sur la noblesse et la franchise du dessin, elles éclatent aux yeux de ceux qui ont l'instinct et l'amour de ces qualités primordiales.

Diverses Choses

Reliefs sculptés du temple de Borobudur (Java).

Impressionniste

Moi, un artiste impressionniste, c'est-à-dire un insurgé [...]

Vinrent les impressionnistes ! Ceux-là étudièrent la couleur exclusivement, en tant qu'effet décoratif, mais sans liberté, conservant les entraves de la vraisemblance. Pour eux le paysage rêvé, créé de toutes pièces, n'existe pas. Ils regardèrent et ils virent harmonieusement, mais sans aucun but : leur édifice ne fut bâti sur aucune base sérieuse fondée sur la raison des sensations perçues au moyen de la couleur.

Il cherchèrent autour de l'œil et non au centre mystérieux de la pensée, et de là tombèrent dans des raisons scientifiques. Il y a physique et métaphysique. [...] Éblouis par leur premier triomphe, ils crurent que c'était tout. Ce sont les officiels de demain, autrement terribles que les officiels d'hier.

Diverses Choses

Inconnu

Je retourne dans trois jours à Pont-Aven, parce que j'ai crédit et que mon argent est épuisé. Je compte y rester jusqu'à l'hiver et si je puis à cette époque obtenir quoi que ce soit au Tonkin je file étudier les Annamites. Terrible démangeaison d'inconnu qui me fait faire des folies. [...]

A Émile Bernard,
août 1889, Le Pouldu

Journée

Je vais vous donner un peu mon secret. Il consiste en une grande logique et j'agis avec beaucoup de méthode. Dès le début, je savais que ce serait une vie au jour le jour, alors logiquement j'ai habitué mon tempérament à cela. Au lieu de perdre mes forces en travaux et inquiétudes du lendemain, j'ai mis toutes mes forces dans la journée même. Tel le lutteur qui ne remue son corps qu'au moment où il lutte. Quand je me couche le soir je me dis : voilà encore une journée de gagnée, demain je serai peut-être mort.

A Monfreid,
11 mars 1892

Mandoline

J'ai eu une bonne idée d'emporter musique et mandoline, c'est pour moi une grande distraction. C'est à Filiger que je dois cette idée de jouer de cet instrument. Je crois que maintenant je dépasse Filiger haut la main comme virtuosité.

A Sérusier,
novembre 1891, Tahiti

Manet

Je me souviens aussi de Manet. Encore un que personne ne gênait. Il me dit autrefois ayant vu un tableau de moi (au début) que c'était très bien, et moi de répondre avec du respect pour le maître : « Oh ! je ne suis qu'un amateur. » J'étais en ce temps employé d'agent de change et je n'étudiais l'art que la nuit et les jours de fête.

– Que non, dit Manet... Il n'y a d'amateurs que ceux qui font de la mauvaise peinture.

Cela me fut doux.

Avant et Après

Misère

J'ai connu la misère extrême, c'est-à-dire avoir faim, avoir froid et tout ce qui s'ensuit. Ce n'est rien ou presque rien, on s'y habitue et avec de la volonté on finit par en rire. Mais ce qui est terrible dans la misère, c'est l'empêchement au travail, au développement des facultés intellectuelles. A Paris surtout, comme dans les grandes villes, la course à la monnaie vous prend les trois quarts de votre temps, la moitié de votre énergie. Il est vrai que par contre la souffrance vous aiguise le génie. Il n'en faut pas trop cependant, sinon elle vous tue.

Cahier pour Aline

Moreau

En opposition avec cette critique, Huysmans parle de Gustave Moreau avec une très grande estime. Bien ; nous l'estimons aussi, mais à quel degré ? Là, un esprit essentiellement peu littéraire, avec le désir de l'être. Ainsi Gustave Moreau ne parle qu'un langage déjà écrit par les gens de lettres ; c'est en quelque sorte l'illustration de vieilles histoires. Son mouvement d'impulsion est bien loin du cœur, aussi il aime la richesse des biens matériels. Il en fourre partout. De tout être humain, il en fait un bijou couvert de bijoux. En somme, Gustave Moreau est un beau ciseleur.

Huysmans et Redon

Musique et peinture

Dans l'art de la littérature deux partis sont en lutte.

Celui qui veut raconter des histoires plus ou moins bien imaginées. Et celui qui veut une belle langue, des belles formes. Ce procès pourra durer très longtemps avec d'égales chances. Seul le poète peut exiger avec raison que les vers soient de beaux vers et rien autre chose.

Gustave Moreau, dessin pour le *Triomphe d'Alexandre le Grand.*

Le musicien lui est privilégié. Des sons, des harmonies. Rien autre. Il est dans un monde spécial. La peinture aussi devrait être à part ; sœur de la musique elle vit de formes et de couleurs. Ceux qui ont pensé autrement sont tout près de leur défaite.

Cahier pour Aline

Orgueil

Avec beaucoup d'orgueil j'ai fini par avoir beaucoup d'énergie et j'ai voulu vouloir ! L'orgueil est-il une faute et faut-il le développer. Je crois que oui. C'est encore la meilleure chose pour lutter contre la bête humaine qui est en nous.

Cahier pour Aline

Paradis

Là-bas au moins, sous un ciel sans hiver, sur une terre d'une fécondité merveilleuse, le Tahitien n'a qu'à lever le bras pour cueillir sa nourriture ; aussi ne travaille-t-il jamais. Pendant qu'en Europe les hommes et les femmes n'obtiennent, qu'après un labeur sans répit, la satisfaction de leurs besoins, pendant qu'ils se débattent dans les convulsions du froid et de la faim, en proie à la misère, les Tahitiens au contraire, heureux habitants des paradis ignorés de l'Océanie, ne connaissent de la vie que les douceurs. Pour eux vivre, c'est chanter et aimer.

A Willumsen,
fin 1890

Pissarro

[...] Si on examine l'art de Pissarro dans son ensemble malgré ses fluctuations – Vautrin est toujours Vautrin malgré ses nombreuses incarnations –, on y trouve non seulement une excessive volonté artistique qui ne se dément jamais, mais encore un art essentiellement intuitif de belle race. Si loin que soit la meule de foin, là-bas sur le coteau, Pissarro sait se déranger, en faire le tour, l'examiner. Il a regardé tout le monde, dites-vous ! pourquoi pas ? Tout le monde l'a regardé aussi mais le renie. Ce fut un de mes maîtres et je ne le renie pas.

De lui, à une vitrine, un charmant éventail. Une simple barrière entrouverte sépare les deux prés très

Odilon Redon, *l'Œil, comme un ballon bizarre, se dirige vers l'Infini*, lithographie.

verts (vert Pissarro) et laisse passer un troupeau d'oies qui s'avancent l'œil aux écoutes, se disant inquiètes : « Allons-nous chez Seurat ou chez Millet ? » Finalement elles vont toutes chez Pissarro.

Avant et Après

Redon

Je ne vois pas en quoi Odilon Redon fait des monstres. Ce sont des êtres imaginaires. C'est un rêveur, un imaginatif. De la laideur : question brûlante et qui est la pierre de touche de notre art moderne et de sa critique. A bien examiner l'art profond de Redon, nous y trouvons peu la trace du « monstre », pas plus que dans les statues de Notre-Dame. Certes, des animaux que nous ne voyons pas ont l'aspect de monstres, mais par cette tendance à ne pas reconnaître comme vrai et normal que la majorité habituelle.

La nature a des infinis mystérieux, une puissance d'imagination. Elle se manifeste en variant toujours ses productions. L'artiste lui-même est un de ses moyens et, pour moi Odilon Redon est un de ses élus pour cette continuation de création. Les rêves chez lui deviennent une réalité par la vraisemblance qu'il leur donne. Toutes ses plantes, êtres embryonnaires, essentiellement humains, ont vécu avec nous ; assurément, ils ont leur part de souffrance.

Dans une atmosphère noire, on finit par apercevoir un, deux troncs d'arbres : l'un d'eux est surmonté de quelque chose, vraisemblablement une tête d'homme. Avec une logique extrême, il nous laisse le doute sur cette existence. Est-ce véritablement un homme ou plutôt une vague ressemblance ? Quoi qu'il en soit, ils vivent tous deux sur cette page, inséparables tous deux, supportant les mêmes orages.

Et cette tête d'homme aux cheveux hérissés, le crâne entrouvert, un œil immense à l'ouverture, est-ce un monstre ? Non ! Dans le silence, la nuit, l'obscurité, notre œil voit, notre oreille entend. [...] Je ne vois dans toute son œuvre qu'un langage du cœur, bien humain et non monstrueux

Huysmans et Redon

Renoir

Un peintre qui n'a jamais su dessiner mais qui dessine bien, c'est Renoir. [...] Chez Renoir rien n'est en place : ne cherchez pas la ligne, elle n'existe pas ; comme par magie une jolie tache de couleur, une lumière caressante parlent suffisamment. Sur les joues comme sur une pêche, un léger duvet ondule, animé par la brise d'amour qui raconte aux oreilles sa musique. On voudrait mordre à la cerise qui exprime la

Auguste Renoir, portrait de Richard Wagner, 1883.

bouche et, à travers le rire, perle la petite quenotte blanche et aiguisée. Prenez garde, elle mord cruellement ; c'est une quenotte de femme. Divin Renoir qui ne sait pas dessiner. [...]

Dans une exposition sur le boulevard des Italiens je vis une étrange tête. Je ne sais pourquoi en moi il se passait quelque chose et pourquoi devant une peinture j'entendis d'étranges mélodies. Une tête de docteur très pâle dont les yeux ne vous fixent pas, ne regardent pas, mais écoutent.

Je lus au catalogue : *Wagner* par Renoir. Ceci se passe de commentaires.

Avant et Après

Sauvagerie et solitude

Les artistes ayant perdu tout de leur sauvagerie, n'ayant plus d'instinct, on pourrait dire d'imagination, se sont égarés dans tous les sentiers pour trouver des éléments producteurs qu'ils n'avaient pas la force de créer, et, par suite, n'agissent plus qu'en foules désordonnées, se sentant peureux, comme perdus lorsqu'ils sont seuls. C'est pourquoi il ne faut pas conseiller à tout le monde la solitude, car il faut être de force pour la supporter et agir seul. Tout ce que j'ai appris des autres m'a gêné. Je peux donc dire : personne ne m'a rien appris ; il est vrai que je sais si peu de choses ! Mais je préfère ce peu de choses qui est de moi-même. Et qui sait si peu de choses, exploité par d'autres, ne deviendra pas une grande chose ?

Avril 1903, Atuona, îles Marquises
Racontars de Rapin

Symbolisme

Vous connaissez mes idées sur toutes ces fausses idées de littérature symboliste ou autre en peinture ; inutile donc de les répéter, d'ailleurs nous sommes d'accord sur ce sujet, la postérité aussi, puisque les œuvres saines restent quand même et que toutes les élucubrations critico-littéraires n'ont rien pu y changer. Peut-être trop orgueilleusement je me loue de ne pas être tombé dans tous ces travers où la presse louangeuse m'aurait entraîné comme tant d'autres, Denis par exemple, Redon aussi peut-être. Et je souriais quoique ennuyé quand je lisais tant de critiques qui ne m'avaient pas compris.

A Monfreid,
novembre 1901, Atuona

Tapis d'Orient

Il reste donc à parler de la couleur au point de vue unique d'art. De la couleur seule comme langage de l'œil qui écoute, de sa vertu suggestive.

Les Orientaux, Persans et autres ont avant tout imprimé un dictionnaire complet de cette langue de l'œil qui écoute ; ils ont doté leurs tapis d'une merveilleuse éloquence. Ô peintres qui demandez une technique de la couleur, étudiez les tapis, vous trouverez là tout ce qui est science, mais, qui sait, le livre est peut-être cacheté, vous ne pouvez le lire. Puis le souvenir de mauvaises traditions vous obstrue. De la couleur ainsi déterminée par son charme propre, indéterminée en tant que désignation d'objets perçus dans la nature, il en ressort un « qu'est-ce que cela pourrait bien dire ? » troublant, et déroutant vos qualités d'analyse. Qu'importe !

Diverses Choses

La Tour Eiffel et l'architecture en fer

Évidemment cette exposition est le triomphe du fer, non seulement au point de vue des machines mais encore au point de vue de l'architecture. Et cependant l'architecture est au début, en ce sens qu'il lui manque en art une décoration homogène avec sa matière. Pourquoi, à côté de ce fer, rude, sévère, des matières molles, comme la terre à peine cuite ; pourquoi, à côté de ces lignes géométriques d'un caractère nouveau, tout cet ancien stock d'ornements anciens modernisés par le naturalisme ? Aux ingénieurs-architectes appartient un art nouveau de décoration, tel que boulons d'ornements, coins de fer dépassant la grande ligne, en quelque sorte une dentelle gothique en fer. Nous retrouvons cela un peu dans la tour Eiffel.

Les statues en simili bronze jurent à côté du fer. Toujours de l'imitation ! Mieux vaudrait des monstres en fer boulonné.

Pourquoi aussi repeindre le fer en beurre, pourquoi cette dorure comme à l'Opéra. Non ce n'est pas là le bon goût. Le fer, du fer, et encore du fer ! Des couleurs graves comme la matière et vous aurez une construction imposante et suggestive du métal en fusion.

Notes sur l'art à l'Exposition universelle

La Tour Eiffel, le Phare.

Vaisseau fantôme

Quelles belles pensées on peut invoquer avec la forme et la couleur ! Comme ils sont bien sur la terre, ces pompiers, avec leur trompe-l'œil de la nature. Nous seuls voguons sur le vaisseau fantôme avec toute notre imperfection fantaisiste. Comme l'infini nous paraît plus tangible, devant une chose non définie. Les musiciens jouissent de l'oreille, mais nous, avec notre œil insatiable et en rut, goûtons des plaisirs sans fin.

A Schuffenecker,
septembre 1888, Pont-Aven

Vanité

Soyez orgueilleux en faisant tout ce qu'il est possible pour avoir le droit d'orgueil – et faire votre possible pour gagner votre existence, c'est un acheminement à ce droit. Mais supprimez la *Vanité* qui est le lot de la médiocrité – et dans les vanités celle de l'argent.

A Madeleine Bernard,
octobre 1888

BIBLIOGRAPHIE

Écrits de Gauguin

- *Noa Noa, Voyage de Tahiti*, édition fac-similé du manuscrit illustré de Gauguin (offert au Louvre par Daniel de Monfreid en 1925), Berlin, s.d. (1926). Réimprimé, Stockholm, 1947 (fac-similé).
- *Noa Noa*, Paris, 1954. Édition fac-similé du premier manuscrit de Gauguin (Paris, vers 1893-1894), offert à l'origine à Morice, ni ill. ni commentaires.
- *Noa Noa*, par Paul Gauguin, édition de Jean Loize, Paris, 1966.
- *Noa Noa, Gauguin's Tahiti*, édité par N. Wadley, Londres, Phaidon, 1985.
- *Noa Noa*, texte établi par Pierre Petit, Jean-Jacques Pauvert, 1988.
- *Avant et Après*, Paris, 1923.
- *Lettres de Gauguin à sa femme et à ses amis*, Paris, 1946. Réunies par M. Malingue, 2e éd. augmentée, Paris, 1949.
- *Lettres de Gauguin à Daniel de Monfreid*. Précédé d'un hommage par Victor Segalen. Nouvelle éd. revue par A. Joly-Segalen, Paris, 1960.
- *Racontars de rapin*, Paris, 1951.
- *Ancien Culte mahorie*, Paris, La Palme, 1951. Postface de René Huyghe. Rééd. Hermann, 1967.
- *Lettres de Gauguin*, Gide, Huysmans, Jammes, Mallarmé, Verhaeren… à Odilon Redon, présentées par Arï Redon et Roseline Bacou, Paris, Corti, 1960.
- *Cahier pour Aline*, fac-similé du manuscrit original présenté par S. Damiron, Paris, Société des Amis de la bibliothèque d'Art et d'Archéologie de l'Université de Paris, 1963.
- *Carnet de croquis, 1884-1888*, comprenant les *Notes synthétiques* édité en fac-similé et présenté par J. Rewald et R. Cogniat, Paris, 1963.
- *Oviri, écrits d'un sauvage*, anthologie préparée par D. Guérin, Paris, Gallimard, 1974.
- *45 lettres de Gauguin à Vincent, Théo et Jo Van Gogh*, présenté par Douglas Cooper, Lausanne, la Bibliothèque des arts, 1983.
- *Correspondance de Paul Gauguin, 1873-1888*, édité par V. Merlhes, Fondation Singer-Polignac, Paris, 1985.
- *Paul Gauguin et Vincent Van Gogh, 1887-1888, Lettres retrouvées, sources ignorées*, édité par V. Merlhes, Avant et Après, Tahiti, 1990.

Monographies

- J. de Rotonchamp (pseudonyme pour Brouillon), *Paul Gauguin*, Weimar, 1906, Paris, 1925.
- Ch. Morice, *Paul Gauguin*, Paris, 1920.
- H. Perruchot, *La Vie de Gauguin*, Paris, Hachette, 1961; rééd. Le Livre de Poche, 1963.
- Ch. Chassé, *Gauguin sans légendes*, Paris, Les Editions du Temps, 1965.
- B. Danielsson, *Gauguin à Tahiti et aux Marquises*, Papeete, édition du Pacifique, 1975, 1989, Presses-Pocket.
- R. Huyghe, *Gauguin*, Paris, Flammarion, 1979.
- M. Hoog, *Gauguin, sa vie, son œuvre*, Paris, Nathan, 1987.
- F. Cachin, *Gauguin*, Hachette 1968, Flammarion 1988, Hachette Pluriel 1989.
- C. Frèches-Thory, *Gauguin à Tahiti*, Paris, Hors-série, Découvertes Gallimard, 2003.

Catalogues de l'œuvre et d'expositions

- C. Gray, *Sculpture and Ceramics of Paul Gauguin*, Baltimore, The John Hopkins Press, 1963.
- G. Wildenstein, *Paul Gauguin, I, Catalogue*, Paris, les Beaux-Arts, in-4°, 1964.
- G.-M. Sugana, *Tout l'œuvre peint de Gauguin*, Milan, Rizzoli, 1972, Paris, Flammarion, 1981.
- E. Kornfeld, *Catalogue raisonné of his prints*, Zurich, E. Morgan, 1988.
- R. Breitell, F. Cachin, C. Frèches-Thory et C. F. Stuckey, *Gauguin*, catalogue de l'exposition, Washington, Chicago, Paris 1988-1989.
- D. W. Druick et P. Kortzegers, *Van Gogh et Gauguin*, catalogue de l'exposition, Chicago, Amsterdam, Paris, Gallimard, 2002.
- Collectif sous la direction de Claire Frèches-Thory, *Gauguin-Tahiti, l'atelier des Tropiques*, catalogue de l'exposition, Paris, Boston, 2003, 2004, Réunion des musées nationaux, 2003.

TABLE DES ILLUSTRATIONS

COUVERTURE

OUVERTURE

CHAPITRE I

CHAPITRE II

CHAPITRE V

CHAPITRE VI

TÉMOIGNAGES ET DOCUMENTS

du Jouir, 1902, bois de séquoia sculpté et peint. Paris, Musée d'Orsay.
175 *Nativité*, 1899-1900, monotype sur vélin, 585 x 450 cm. Paris, Coll. part.
176 Extrait d'une lettre de Gauguin.
177 *Baigneuses bretonnes*, 1889, zincographie sur vélin jaune appartenant à la *Suite Volpini*, 235 x 200 cm. Paris, Bibliothèque d'Art et d'Archéologie, Fondation Jacques Doucet.
178 Edgar Degas, photographie de Barnes. Paris, Bibl. nat.
179 Delacroix, *Autoportrait* en costume de voyage extrait du premier album du voyage au Maroc, crayon. Paris, Musée du Louvre.
181 Détail d'un bas-relief de Borobudur in *Les Antiquités javanaises*. Paris, Bibl. nat.
183 Gustave Moreau, dessin préparatoire au *Triomphe d'Alexandre*. Paris, Musée Gustave Moreau.
184 Odilon Redon, *L'œil, comme un ballon bizarre, se dirige vers l'Infini* (planche I de *Edgar Poe*) lithographie. The Art Institute of Chicago.
185 Auguste Renoir, *Portrait de Richard Wagner*, 1883, huile sur toile, 40 x 32 cm. Paris, Bibl. nat.
187 Le phare de la tour Eiffel, gravure, XIXe s.

INDEX

CRÉDITS PHOTOGRAPHIQUES

Agence de Presse Novosti, Paris 51b, 120/121. Albright-Knox Art Gallery, Buffalo 58b, 84/85. Archiv für Kunst und Geschishte, Berlin 52/53, 54/55, 97bg. Archives E.R.L./Sipa Icono, Paris 58, 128/130, 143d, 158. Archives Sirot-Angel, Paris 62/63, 63, 68h, 69, 79b, 106, 157, 166. Art Institute of Chicago 50/51, 70, 80, 184. Artephot/Bridgeman 42/43, 66, 114/115, 125, 126. Artephot/Cercle d'Art 108. Artephot/Fopler 88/89. Artephot/Held 122/123, 124h. Artephot/Hinz 20h. Baltimore Museum of Art 1er plat, 95. Bibliothèque d'Art et d'Achéologie, Fondation Jacques Doucet, Paris 93, 137, 141, 177. Bibliothèque nationale, Paris 43, 43d, 45, 169d, 178, 181, 185. Bulloz, Paris 40/41. J.-L. Charmet 12, 14, 162. Cleveland Museum of Art 60h, 73b. Coll. M. et Mme Walter Annenberg 71. Coll. Jean-Pierre Bacou 31b. Coll. Dr et Mme Martin Gecht 99b. Coll. Josefowitz 22h, 29h, 34, 47. Coll. part. 9, 21b, 30/31, 92, 99h, 175. Dagli-Orti, Paris 107h. Droits réservés 11, 20bd, 31h, 35b, 49, 52h, 52b, 62b, 67, 81h, 85b, 97hd, 98, 101g, 116, 118h, 118b, 124b, 133, 139, 143g, 147, 148, 169g, 170, 187. Edimedia, Paris 105. Fondation Collection E.G. Bührle, Zurich 16b. Fondation Vincent Van Gogh, Musée national Vincent Van Gogh, Amsterdam 48, 155. Giraudon, Paris 38, 94g, Giraudon/Archives Larousse, Paris 94d. Giraudon/Lauros, Paris 4e plat, Dos, 59, 65g. Harvard University Art Museums (Fogg Art Museum), Cambridge 19h, 152. Kunstindustrimuseet, Copenhague 64b. Kunstmuseum, Bâle 127. Metropolitan Museum of Art, New York 115. Musée départemental du Prieuré, Saint-Germain-en-Laye 15hg, 15hd, 21h, 35h, 107b, 138. Musée de l'Homme, Paris 13h, 30h, 57b. Musée de la Marine, Paris 15b. Musées Royaux d'Art et d'Histoire, Bruxelles 39. Nasjonal galleriet, Oslo 18, 20bg. National Gallery of Art, Washington 25, 46, 76. National Gallery of Canada, Ottawa 65d. National Galleries of Scotland, Edimbourg 32. Neue Pinakothek, Munich 24, 28, 110/111. Ny Carlsberg Glypotek, Copenhague 17b, 19b, 74. Offentliche Kunstsammlung, Kunstmuseum, Bâle 73, 90. Ohara Museum of Art, Kurashiki 77h. Ordrupgaardsamlingen, Copenhague 56/57, 109h, 109b. Réunion des Musées nationaux, Paris 1/7, 16/17, 22b, 23, 26, 29b, 33, 37, 60b, 61, 62h 64/65, 72, 77b, 79h, 82, 83, 86/87, 91, 96, 97hg, 100, 102, 103, 104, 112, 113h, 113b, 117h, 118/119, 131/132, 164/165, 172, 179, 183. Roger-Viollet, Paris 13b, 101d. Roger-Viollet/Harlingue, Paris 27, 161. Saint Louis Art Museum 117b, 151. Scala, Florence 36. Staatsgalerie, Stuttgart 10. Peter Willi, Paris 38/39, 44, 78.

REMERCIEMENTS

Les Editions Gallimard adressent leurs remerciements aux personnes suivantes : Marie-Amélie Anquetil, conservateur du musée du Prieuré à Saint-Germain-en-Laye, ainsi qu'aux nombreux collectionneurs privés qui ont bien voulu leur accorder l'autorisation de reproduire certaines œuvres.